LE GUIDE
DES URGENCES
DE L'ENFANT
ET DU NOURRISSON

LE GUIDE
DES URGENCES
DE L'ENFANT
ET DU NOURRISSON

Préface du Professeur Marc Gentilini,
Président de la Croix-Rouge Française
Introduction du Professeur Pierre Carli,
Directeur du SAMU de Paris

Editions Tribune Santé

Ce guide a été réalisé avec le concours des :

Docteur Jean Lavaud,
Directeur du SAMU pédiatrique de Paris, hôpital Necker

Docteur Pascal Cassan
Délégué national au secourisme, Croix-Rouge Française

Professeur Marc Gentilini,
Président de la Croix-Rouge Française

Professeur Pierre Carli
Directeur du SAMU de Paris, hôpital Necker

Professeur Michel Dehan
Chef du service de réanimation néonatale, hôpital Antoine Béclère

Professeur Michel Basquin
Professeur de psychiatrie de l'enfant et de l'adolescent, CHU Pitié-Salpêtrière

Docteur Sophie Guibert
Pédiatre urgentiste

Docteur Catherine Bonnet
Pédopsychiatre et psychanalyste

Cendrine Barruyer
Journaliste médicale

Cécile Dollé
Journaliste

© Franklin SIMON, 2002
ISBN : 2-9518597-0-8

Remerciements

C e guide n'aurait pu voir le jour sans la collaboration de plusieurs éminents spécialistes qui nous ont apporté qui leurs conseils, qui leur soutien et ont accepté de parrainer notre démarche. Nous tenons ici à les remercier chaleureusement de la confiance qu'ils nous ont accordée.

Notre gratitude va notamment au Professeur Marc Gentilini, président de la Croix-Rouge Française et au Professeur Pierre Carli, directeur du SAMU de Paris, qui ont réservé à notre projet un accueil très favorable.

Nous sommes aussi très redevables au Professeur Michel Dehan, chef du service de réanimation néonatale de l'hôpital Antoine Béclère, dont les avis éclairés nous ont permis de rendre plus accessible au public ce document.

Mais nous aimerions marquer ici notre extrême reconnaissance au docteur Jean Lavaud, responsable auprès du Professeur Carli du SAMU pédiatrique de Paris, hôpital Necker. Il n'a ménagé ni son temps ni son énergie pour nous guider, nous conseiller, nous relire, nous corriger. Les documents qu'il nous a remis ont été une des bases principales de ce livre. Qu'il soit ici remercié de tout ce qu'il a fait pour nous.

Un grand merci au Docteur Pascal Cassan, délégué national au secourisme et adjoint chargé de la formation à la Croix-Rouge Française, qui a pris le temps de relire l'ensemble de cet ouvrage et de nous faire part de ses très judicieuses observations.

Ce livre doit également beaucoup au Docteur Sophie Guibert, pédiatre, néonatologue, qui a su ordonnancer l'ensemble des informations disponibles, les présenter dans un langage simple et clair, et mettre à profit non seulement ses connaissances médicales, mais aussi son expérience de mère de famille nombreuse pour donner aux parents une foule de petits conseils extrêmement utiles.

Enfin, nous adressons tous nos remerciements au Professeur Michel Basquin et au Docteur Catherine Bonnet, pédopsychiatres, pour l'aide qu'ils nous ont apportée lors de la réalisation de la quatrième partie de cet ouvrage, consacrée aux urgences psychologiques de l'enfant.

PRÉFACE

uit millions d'accidents domestiques en France chaque année, dont 18 000 décès ! Des chiffres effroyables. Les principales victimes ? Les enfants, ignorants des dangers qui les menacent, que tout intéresse et pour qui tout est un jeu. Ils veulent faire comme les grands. Leur curiosité est insatiable et ce n'est que peu à peu, au fil d'expériences, heureuses ou malheureuses, qu'ils prennent conscience du monde environnant, pouvant briser ou altérer leur vie.

100 000 intoxications médicamenteuses par an, tous âges confondus. Est-ce une fatalité ? 3 000 enfants qui se brûlent, dont 1 000 grièvement, ne peut-on rien y faire ? Bien sûr, le risque zéro n'existe pas : il y a toujours l'accident imparable, inévitable, que toutes les mesures de prudence ne pourront éliminer. Mais combien de drames seraient épargnés par quelques précautions, par un peu de vigilance ?

Prévenir : c'est l'objet de ce guide. Il vous aidera à découvrir les recoins de votre maison ou de votre jardin qui peuvent devenir le lieu d'un accident. Mille objets de la vie courante, entre les petites mains peu expertes d'un enfant, sont sources de blessures plus ou moins graves. Ce guide vous permettra de les reconnaître.

Eviter chutes, noyades, étouffements, brûlures, intoxications... Réagir à ces urgences au mieux, panser les plaies, soigner les morsures, réanimer un enfant... Autant de thèmes que vous retrouverez au fil de ces pages. Les recommandations les plus récentes des experts en pédiatrie ont été rassemblées ici dans une démarche originale.

Lisez ce guide, soulignez-en les passages qui vous concernent, adaptez votre environnement en fonction des conseils donnés : les risques que court votre enfant seront diminués d'autant. Exercez-vous aux quelques manœuvres de réanimation et aux soins décrits dans ce livre.

Ce guide s'est voulu simple et pragmatique. Il ne propose que des gestes d'urgence faciles à exécuter et sans risque. **Des gestes qui sauvent, à la portée de tous.** Des gestes à découvrir dès maintenant pour les réaliser efficacement et sans panique le moment venu.

En qualité de président de la Croix-Rouge Française, je ne saurais trop engager chaque maman à suivre une formation de secouriste. Cela peut servir à vos enfants, dans votre entourage ou lors d'un accident dont vous seriez le témoin. La vie ne tient souvent qu'à un fil… ou à un geste. Celui opportun du secouriste. Tout ce qui épargne des morts, soulage la douleur, évite un handicap, nous concerne. C'est pourquoi je m'associe passionnément, aujourd'hui, au projet de *Tribune Santé* **pour préserver la vie !**

Professeur Marc Gentilini
Président de la Croix-Rouge Française

SOMMAIRE

3. Urgences médicales   148

4. Urgences psychologiques   194

5. Accidents sans gravité   208

INTRODUCTION

G ardez votre calme », tel pourrait être le leitmotiv de cet ouvrage. En cas d'urgence, moins vous paniquerez, plus vos gestes seront assurés et efficaces, plus vos réponses aux secours lorsque vous les appellerez ou quand ils seront à votre domicile seront précises et donc, plus votre intervention sera adaptée.

Dans la majeure partie des cas présentés ci-après, il va vous falloir, dans un délai très court, faire un bilan de l'état de santé de l'enfant, contacter les secours et, dans le même temps, pratiquer des gestes d'urgence. Parfois, lorsque l'accident est gravissime, ces gestes devront être réalisés dans les minutes qui suivent. Sans doute à ce moment-là, les pompiers ou le SAMU continueront-ils de rester en ligne avec vous jusqu'à l'arrivée de secours pour vous indiquer précisément comment réagir et aussi pour vous rassurer.

Une précision utile : quand vous avez la chance d'être deux lors de l'accident, il est fondamental que l'un s'occupe de l'enfant sur un plan médical, tandis que l'autre appelle les secours, leur décrit l'accident et reste en contact avec eux pour transmettre leurs consignes. Si vous êtes seul, demandez de l'aide autour de vous, dans la rue, le voisinage...

Vous découvrirez au détour de ce livre que, pour la plupart des accidents ou des urgences médicales, nous vous conseillons d'appeler indifféremment les pompiers-18 ou le SAMU-15. Les uns comme les autres pratiquent sensiblement les mêmes gestes de réanimation.

En revanche, dans certaines situations, la présence d'un ou plusieurs médecins immédiatement sur le lieu de l'urgence est nécessaire. C'est pourquoi, de temps à autre, nous vous avons indiqué comme seul contact le SAMU-15.

Quoi qu'il en soit, tous ces sauveteurs (SAMU, pompiers, Croix-Rouge, protection civile…) travaillent de concert et sauront vous aiguiller vers les spécialistes compétents. Nous espérons que vous suivrez scrupuleusement toutes les consignes que nous vous indiquons dans la partie Prévention et que, du coup, cet ouvrage ne vous sera jamais utile pour pratiquer des gestes de réanimation.

Toutes les interventions décrites dans ce manuel sont destinées à des personnes dépourvues de savoir médical particulier, contrairement aux guides de secourisme habituellement proposés au public. Deux ou trois techniques de base doivent absolument être connues. D'abord la réanimation cardiaque (massage cardiaque externe) et le bouche-à-bouche (ventilation artificielle).

Ensuite, dans la plupart des cas, vous devrez mettre l'enfant en position latérale de sécurité pour qu'il puisse se reposer tranquillement en attendant les secours. Cette position est simple et elle évite bien des complications.

Enfin, dans quelques rares situations, notre conseil sera le suivant : ne faites rien, ne tentez rien, appelez les secours en urgence. Parfois, mieux vaut ne pas intervenir, car une manœuvre mal utilisée ou réalisée sur un organe ou un membre gravement lésé peut avoir des conséquences dramatiques.

Professeur Pierre Carli
Directeur du SAMU de Paris, hôpital Necker

Sommaire
Prévention

Partie**1**

Prévention

Une minute d'inattention suffit parfois pour qu'un enfant se blesse avec un objet tranchant ou contondant laissé par mégarde à sa portée.

Comprendre

Parmi les objets que nous utilisons, nombreux sont ceux auxquels nous ne prêtons pas attention, tant ils sont pour nous anodins. Pourtant, ils peuvent se révéler dangereux s'ils tombent entre les petites mains de nos enfants.

Prévenir les risques

Dans la cuisine

• Les couteaux, fourchettes, tiges pour brochettes, verres... ne doivent jamais être accessibles.

• Equipez les tiroirs et les placards de la cuisine de fermetures sécurisées. De telles fermetures peuvent aussi être utiles dans d'autres pièces (armoire à pharmacie, buffet du salon, placard des toilettes...).

Dans le reste de la maison

- Attention aux doigts coincés dans la porte, écrasés ou sectionnés : installez des « bloque-portes » ou calez les portes en position ouverte (en les immobilisant avec un meuble, par exemple).

- Ne laissez jamais de ciseaux, quels qu'ils soient, à portée de main. A l'âge des découpages (vers 3 ans et demi), offrez à votre enfant de beaux ciseaux en plastique. Ils ne coupent que le papier !

A l'extérieur

- Rangez toujours soigneusement vos outils de jardin. Mettez-les sous clé. Offrez à votre enfant sa brouette et ses outils en plastique !

- Ne tondez pas le gazon en sa présence en raison des risques de projections. Il peut aussi profiter d'un moment d'inattention pour mettre en route la tondeuse et se blesser. **Ne confiez jamais la tondeuse à un enfant, même s'il est plus grand et supposé raisonnable.** S'il veut vous aider, faites-lui plutôt ramasser l'herbe.

- Si vous possédez des outils agricoles, ne le laissez jamais s'approcher et, *a fortiori*,

grimper sur un tracteur ou un motoculteur ! Les conséquences peuvent être catastrophiques (chute, écrasement ou section de membre).

Les autres dangers

La campagne

• Si vous êtes à la campagne, interdisez l'accès aux granges. Les risques et les chausse-trappes y sont nombreux. Sans parler de leurs toits inclinés qui incitent les enfants à grimper dessus…

Les voitures et les garages

• Ne manœuvrez pas votre véhicule et ne reculez pas si des enfants sont à proximité. S'ils se baissent ou s'ils sont tout petits, vous ne les verrez pas !

• Avant de bouger la voiture, vérifiez que vous avez tous les enfants dans votre champ de vision ou qu'ils sont à l'intérieur de la maison ou de l'automobile.

• Faites attention quand vous refermez les portes du véhicule : les enfants sont prompts à glisser leurs petits doigts dans les jointures.

• Assurez-vous que l'enfant est bien installé et attaché avant de mettre en marche la voiture.

• Ne le laissez pas fermer lui-même les portes ou le coffre.

• Ne laissez jamais de clés à portée de ses mains… surtout celles de la voiture.

• N'actionnez la fermeture automatique du garage que si tout le monde est sorti.

PRÉVENTION : BRÛLURES

Trop nombreuses, souvent graves, les brûlures sont l'exemple même des accidents que l'on peut éviter. Prenez les précautions indispensables !

Comprendre

Quelque 3 000 enfants de moins de 15 ans se brûlent chaque année à leur domicile. Un millier d'entre eux doivent être hospitalisés en raison de la gravité des atteintes. Le plus fréquemment, la victime est un petit garçon de 3 ans qui se brûle à son domicile. Mais les autres tranches d'âges sont elles aussi touchées.

Les brûlures peuvent être mortelles ou laisser d'importantes séquelles. C'est pourquoi à l'arrivée de bébé, l'organisation de la maison doit prendre en compte de nouvelles mesures de sécurité. Chaque pièce devra être revue en fonction du comportement potentiel du petit enfant.

Si ces habitudes sont instaurées dès la naissance de bébé, il ne percevra pas cela comme une punition. Chez l'enfant plus grand, il faut insister pour qu'il reste en dehors de la cuisine quand les feux fonctionnent, et lui expliquer les dangers que cette pièce recèle.

Prétendre réduire à néant ces accidents est illusoire, mais le nombre de brûlures peut être considérablement diminué.

Reconnaître le danger

Il est essentiel de connaître les endroits à risque et les causes de brûlures.

Dans la maison, deux pièces sont particulièrement dangereuses pour l'enfant : la cuisine et la salle de bains. Mais le jardin n'est pas pour autant exempt de risques (méfiez-vous du barbecue !).

Parmi les causes les plus fréquentes de brûlures, on notera d'abord celles provoquées par les liquides chauds (huile, eau, chocolat, potage), puis celles entraînées par les solides chauds (porte de four, plaque de cuisson, fer à repasser, etc.).

Prévenir les risques

■ Les mesures générales

Si sécuriser son domicile est fondamental, il ne faut pas oublier qu'un bébé n'est pas un ermite. Aussi, redoublez de vigilance quand vous l'emmenez en visite chez vos parents ou chez des amis. Conseil d'autant plus fondamental que les réunions de famille constituent des moments où les adultes discutent ensemble, généralement sans se soucier des enfants qui jouent alentour. Un impératif : restez sur vos gardes !

- Si vous faites garder votre enfant à domicile (nounou, parents), expliquez les mesures à prendre et exigez qu'elles soient respectées.

- Limitez (ou interdisez) l'accès à certaines pièces, comme la cuisine et la salle de bains.

- Faites en sorte que l'enfant soit en permanence en compagnie d'un adulte ou, s'il est seul dans une pièce, qu'il évolue dans un espace qui lui est réservé et qui est sécurisé.

- Ne laissez jamais un enfant de moins de 10 ans seul à la maison.

• Habillez votre enfant de sous-vêtements en fibres naturelles (coton, lin, laine). En cas de brûlure, ces tissus absorbent une grande partie de la chaleur et diminuent la gravité de l'atteinte cutanée.

Les mesures spécifiques

L'installation électrique

• Faites vérifier votre installation électrique, en particulier si vous logez dans une résidence assez ancienne. Le cas échéant, mettez-la aux normes.

• Installez des « cache-prises » à clé sur toutes les prises de courant non conformes.

• Si vous utilisez une rallonge, veillez à débrancher systématiquement les deux extrémités après avoir utilisé votre appareil électrique. Trop de parents continuent de laisser traîner au sol des rallonges connectées au secteur. Or, quoi de plus tentant pour un enfant que de jouer avec ces fils posés par terre ? Outre le risque d'électrocution, celui de strangulation n'est pas à exclure ! Un conseil : rangez immédiatement vos rallonges après usage.

La cuisine

Jusqu'à l'âge de 6 ans, la cuisine constitue le lieu de tous les dangers. L'enfant n'a pas à s'y trouver lors de la préparation des repas. En outre, indépendamment du risque de brûlure, on y trouve quantité d'objets dangereux.

• Essayez de cuisiner quand votre enfant dort, ou lorsqu'il est à la crèche ou à l'école.

• Placez une barrière à la porte de la cuisine et installez confortablement votre enfant de l'autre côté. Vous pourrez ainsi l'avoir près de vous et le surveiller, sans qu'il se sente seul.

• Mettez la cuisinière hors d'accès. Installez pour cela un rebord de protection et une grille de four. Vous les trouverez dans les magasins spécialisés en accessoires de puériculture ou dans ceux qui vendent des installations de sécurité (www.grainedeveil.com ou 0 892 350 888 pour obtenir un catalogue).

• N'utilisez que les plaques du fond, jamais celles de devant. Il est exceptionnel que l'on ait besoin, en même temps, de tous les feux d'une cuisinière. Autant éviter les risques !

• Veillez à ce que les queues des casseroles ne dépassent jamais de la cuisinière : tournez-les vers le mur.

• Ne laissez jamais d'allumettes ou de briquet à portée de mains, quel que soit l'âge de vos enfants.

• Coupez systématiquement l'arrivée du gaz après avoir fini de cuisiner. La tentation est grande de tourner les boutons «comme maman». Notez qu'il existe dans le commerce des détecteurs de monoxyde de carbone ou de gaz.

• Lors des repas de bébé :

– Attention à la chaleur des boissons et des aliments. Goûtez tout ce qui est chauffé. Et méfiez-vous : le micro-ondes ne chauffe pas de manière homogène. Mélangez les aliments avant de les goûter.

– Ne passez jamais avec un récipient contenant un liquide chaud (théière, casserole, etc.) au-dessus ou à proximité d'un enfant.

Ces mesures seront d'autant plus efficaces qu'elles seront **SYSTÉMATIQUES** et deviendront, pour vous et pour votre enfant, une **HABITUDE.**

La salle de bains

• Bloquez son accès par un verrou ou un loquet situé en hauteur. Cela évitera que l'enfant n'y entre à votre insu. Dans une salle de bains, la brûlure (comme la noyade) est un accident si vite arrivé !

• Equipez, si possible, votre chaudière ou votre ballon d'eau chaude d'un thermostat limitant la température. Il existe aussi des installations que l'on peut fixer sur le robinet et qui empêchent l'eau de couler à plus de 45 °C.

• Jusqu'à 4 ans, contrôlez la température du bain de votre enfant à l'aide d'un thermomètre de bain. Ne vous fiez ni à votre main, ni à votre coude.

Le jardin

• Ne laissez jamais votre enfant s'approcher du barbecue.

• Eteignez le foyer juste après utilisation.

• Rangez immédiatement les ustensiles dont vous vous êtes servis.

Les brûlures solaires

Le soleil peut brûler très sévèrement votre enfant. En outre, l'exposition solaire pendant l'enfance réduit le « capital soleil » et augmente le risque de développer un cancer de la peau. Prenez donc les bonnes précautions. Elles doivent devenir une habitude pour vous et pour votre enfant. Ne vous contentez pas de le protéger seulement de temps à autre : cela ne présenterait aucun intérêt.

• Evitez les expositions solaires aux heures de fort rayonnement (entre 11 heures et 16 heures).

• Favorisez les jeux à l'ombre.

• Ne déshabillez pas votre enfant. Le port de vêtements, d'un chapeau (ou d'une casquette) et de lunettes aux normes, est indispensable. Attention : les verres teintés, qui ne filtrent pas les UV, sont dangereux !

• Couvrez les zones exposées d'écran solaire (indice 30 minimum) une demi-heure avant l'exposition. Renouvelez l'application toutes les deux heures (voire plus souvent en cas de baignade ou de transpiration).

• Donnez régulièrement à boire à votre enfant.

• **Rappelez-vous que les bébés de moins de 6 mois ne doivent pas être exposés au soleil direct :**

    – Installez-les toujours à l'ombre.

    – Habillez-les d'un vêtement léger protégeant tout le corps et couvrez-leur la tête d'un chapeau. Si de petites parties sont quand même exposées (visage, avant-bras et mains), vous pouvez appliquer un écran solaire adapté aux enfants.

Aliments, médicaments, piqûres d'hyménoptères (abeilles, guêpes, frelons) peuvent déclencher un choc anaphylactique chez les enfants allergiques. Bien que la prévention soit souvent difficile, certaines précautions permettent de réduire les risques.

Comprendre

Le choc anaphylactique est une réaction allergique grave, parfois mortelle. Sa prévention est d'autant plus limitée que l'accident survient souvent de façon inopinée, sans signe avant-coureur.

Certes, un bon nombre de produits sont connus comme étant très allergisants. Leur éviction permet de limiter les risques. Toutefois, prévoir qui y sera allergique est impossible. Par ailleurs, les allergies sont parfois extrêmement surprenantes et portent sur des aliments *a priori* anodins…

Chez l'enfant, les allergies sont de plus en plus nombreuses. Cela

Œuf et réaction allergique aux vaccins

Certains vaccins sont préparés sur de l'œuf. Il s'agit de ceux qui sont destinés à prévenir les oreillons, la rougeole, la grippe, la fièvre jaune. Ils peuvent déclencher une réaction chez les enfants allergiques à l'œuf. Si le vaccin est indispensable, il devra être réalisé en milieu médical (consultation spécialisée en immuno-allergologie).

tient aux modifications du calendrier de diversification alimentaire du nourrisson. Pendant des années, on a prôné l'introduction à l'âge le plus précoce possible de nouveaux aliments, au motif de former le goût de l'enfant. Aujourd'hui, les pédiatres préfèrent, au contraire, retarder la diversification alimentaire. Ils se sont rendu compte que plus l'alimentation lactée (régime uniquement à base de lait maternisé) était conservée longtemps, moins les allergies risquaient de se manifester.

L'introduction sur le marché d'aliments exotiques, en grande quantité, en toute saison et à des prix raisonnables, est un facteur de risque supplémentaire.

Prévenir les risques

Les aliments sont parmi les principaux coupables. Mais les médicaments ou les piqûres d'insecte peuvent aussi avoir des conséquences graves.

L'allergie à l'œuf

L'œuf, riche en protéines, est très allergisant. Le blanc d'œuf est le principal responsable. Donner du jaune – bien cuit – à un nourrisson ne pose donc pas de problème. Il est, en revanche, sage de retarder l'introduction du blanc d'œuf après l'âge de 18 mois. Chez le petit enfant à tendance allergique (eczéma, asthme), mieux vaut attendre plus encore.

L'allergie aux protéines du lait de vache

Elle se révèle très tôt dans la vie. Il n'est pas rare que l'un des parents ou quelqu'un dans la fratrie en souffre également.

Comment se manifeste-t-elle ?

Le nouveau-né ou le nourrisson, nourri au sein maternel, se portait jusque-là très bien. Lors du sevrage, tout change : il présente des vomissements, des épisodes diarrhéiques, se couvre de rougeurs ou d'eczéma, souffre de malaises, ne gagne plus de poids. Autant de signes d'une allergie aux protéines du lait de vache.

Comment y faire face ?

Le lait, tous ses dérivés et les produits qui en contiennent sont exclus de l'alimentation pendant un an. La tentative de réintroduction du lait, vers 12 ou 18 mois, doit toujours être réalisée en milieu hospitalier.

■ L'allergie à la cacahuète

Cette allergie est souvent grave. C'est ici l'occasion de rappeler, une fois encore, que la cacahuète et tous ses dérivés sont à éviter chez le jeune enfant. Responsable de « fausses-routes », dépourvues des qualités nutritives indispensables à la croissance, cet aliment est à proscrire.

Toutefois, sachez que votre enfant peut développer une allergie à la cacahuète à votre insu. De nombreuses préparations culinaires, gâteaux secs industriels, barres chocolatées et autres friandises en contiennent. Il en est de même pour la cuisine asiatique.

Comment y faire face ?

La diversité des produits ne permet pas un contrôle suffisant. Aussi, si la composition n'est pas précisée, évitez ce type de produits, surtout si votre enfant a un terrain allergique connu (asthme, eczéma).

Tâchez aussi de ne pas introduire trop tôt les autres fruits secs (noix, noix de cajou, noisettes) ainsi que les fruits exotiques (lychees, kiwis).

■ Le choc anaphylactique médicamenteux

Il est très rare. Ses deux principaux responsables : les produits iodés utilisés en radiologie et certains antibiotiques comme la pénicilline.
Notez que les allergies réelles aux antibiotiques existent, mais qu'elles sont peu fréquentes. Trop d'enfants sont considérés à

Nids de guêpes et essaims d'abeilles

Les piqûres multiples sont très graves.

- *Ne touchez pas aux nids de guêpes ou de frelons dans votre jardin.*

- *Contactez les pompiers. Ils ont le matériel adéquat pour les détruire. Ce service est souvent payant, ce qui est normal.*

- *Si un essaim d'abeilles sauvages s'installe dans votre jardin, contactez un apiculteur proche de chez vous*

- *Lors de ces interventions, ne laissez pas les enfants accéder au jardin.*

tort comme allergiques aux antibiotiques, alors qu'ils sont simplement victimes d'une éruption cutanée liée à leur maladie virale. Cela limite beaucoup les traitements qu'ils peuvent recevoir en cas d'infection.

■ Les piqûres d'hyménoptères (guêpes, abeilles, frelons)

La prévention n'est pas toujours aisée, mais la désensibilisation, faite par un allergologue, est efficace et mérite d'être tentée.

Lors des déjeuners à l'extérieur (jardin, pique-nique), évitez de laisser votre enfant boire directement à la bouteille ou à la canette. Donnez-lui une paille. Pensez également à regarder dans son verre. Des accidents graves sont survenus à la suite de l'ingurgitation accidentelle d'un hyménoptère tombé dans une canette.

Les piqûres de la gorge ne déclenchent pas toujours un choc anaphylactique, mais l'inflammation et le gonflement sont tels qu'ils entraînent une asphyxie.

Le traitement est le même que pour le choc anaphylactique (adrénaline et corticoïdes injectables).

Le cas des enfants dont l'allergie est connue

Si votre enfant a déjà souffert d'un malaise à la suite d'une réaction allergique, vous disposez, en principe, d'une ordonnance qui spécifie le traitement à suivre en cas de choc anaphylactique.

Rappelons que votre enfant doit toujours avoir à portée de main le médicament indispensable : l'adrénaline.

Pensez à prévoir...

• Une seringue d'adrénaline prête à l'emploi dans son sac.

• Une seringue d'adrénaline prête à l'emploi dans la trousse de secours de la voiture.

• Une seringue d'adrénaline prête à l'emploi dans la trousse de voyage.

Informez l'entourage

• Prévenez l'école, le centre de vacances ou le centre aéré, de même que les proches et les amis, de l'allergie de votre enfant. L'école et les autres lieux doivent posséder une trousse contenant une seringue d'adrénaline prête à l'emploi et connaître la manière de l'utiliser (projet d'accueil individualisé, circulaire de novembre 1999).

Si votre enfant part en voyage (avion, train, bateau) :

• N'oubliez pas de mettre la seringue d'adrénaline dans le sac qu'il garde auprès de lui. Attention à la trousse de toilette inutilisable, coincée dans la valise placée dans la soute ou perdue...

• Mettez dans son bagage une carte mentionnant son allergie et son traitement (adrénaline). Inscrivez lisiblement la dose à injecter.

S'il participe à des sorties ou à des pique-niques, va séjourner dans la famille ou dans un centre de vacances, assurez-vous que le traitement est disponible :

• Signalez l'allergie.

• Expliquez le traitement à suivre et précisez que le médicament et les instructions d'utilisation doivent l'accompagner **ABSOLUMENT** partout.

Dans tous les cas de figure, vérifiez régulièrement la date de péremption des seringues d'adrénaline.

Avec l'âge, les risques de chutes graves se multiplient. Les prévoir constitue la meilleure façon d'adapter la protection.

Comprendre

Une mauvaise chute durant l'enfance peut laisser des séquelles à vie. Or, même si les risques augmentent avec l'âge (l'enfant court dans les escaliers, se penche à la fenêtre, fait la course à vélo avec ses copains…), les plus petits ne sont pas épargnés pour autant. On peut en effet tomber bien avant de marcher ! Les chutes de la table à langer ou de la poussette n'ont rien d'exceptionnel. Et les situations à risque sont nombreuses. A charge pour les parents de penser à tout, afin d'éviter le pire.

PRÉVENTION : CHUTES

Prévenir les risques

◼ De 0 à 2 ans

Les chutes de la table à langer

Chez le nourrisson, avant l'âge de 18 mois, la chute de la table à langer est l'accident le plus fréquent. Ces chutes peuvent avoir des conséquences graves et se soldent parfois par des fractures d'un membre ou du crâne. Les nourrissons sont très toniques. Ils gigotent énormément sur la table à langer, se retournent en un éclair et c'est la chute.

La prévention est simple. Elle ne nécessite pas de moyens coûteux, mais seulement des réflexes de bon sens.

Que faire ?

- Installez votre table à langer dans un angle, dans le sens de la longueur, bébé face à vous. Cela facilite le change et ne laisse libre qu'un seul côté dangereux.

- Protégez le sol du côté où bébé peut tomber. Posez des coussins ou des tapis pour amortir la chute éventuelle. Cela évitera aussi les accidents, si une autre personne que vous change bébé.

- Lors du change, respectez une règle d'or : tout doit être prêt ! Posez votre bébé, attaché dans son relax ou son transat, sur le sol près de vous, pendant que vous préparez les éléments indis-pensables au change ou au bain.

- Ne vous éloignez jamais de bébé et tenez-le toujours d'une main pendant le change.

- Si vous quittez la pièce, même pour une fraction de seconde, emmenez votre bébé avec vous !

Les chutes de poussette, de chaise haute, de canapé...

Elles sont toujours liées à un défaut de surveillance très bref. Les nourrissons ont parfois des mouvements brusques. Ils peuvent alors tomber de la poussette, du canapé ou de la chaise haute.

Que faire ?

- Attachez toujours bébé dans la poussette et la chaise haute. Choisissez un matériel conforme aux normes de sécurité (réglementation de 1991).
- Surveillez en permanence l'enfant.
- Si votre enfant est précoce sur le plan des acquisitions motrices, faites-lui porter un harnais de contention thoracique.
- Ne posez jamais le siège ou le relax en hauteur, sur une table ou un meuble.
- N'installez jamais votre enfant sur le canapé, même calé avec des coussins.
- En voyage, prévoyez une barrière de sécurité si le bébé dort dans un grand lit.

■ A partir de 18 mois

Les chutes des fenêtres et balcons

L'enfant se penche trop en avant, bascule et tombe dans le vide. C'est le drame. Pendant les jeux avec d'autres enfants, il peut aussi être poussé ou encore se prendre pour Batman et vouloir voler (lire ci-contre).

Dessins animés dangereux

Attention aux dessins animés tels que Batman, *particulièrement appréciés des enfants. Les petits garçons s'identifient volontiers à ces personnages volants. Méfiez-vous des réactions de mimétisme !*

- *Prenez les devants et expliquez à votre fils qu'il ne s'agit que d'un dessin animé.*

- *Tentez de lui faire comprendre que ces personnages ne sont pas réels et que, « dans notre monde », les hommes ne volent pas.*

- *Surtout, rappelez-lui que le déguisement qu'il possède n'est qu'un jeu.*

Que faire ?

- Si vous avez des fenêtres accessibles aux enfants, équipez-les de systèmes de blocage permettant juste l'aération ou faites poser un grillage de sécurité.

Les chutes dans l'escalier

C'est l'enfant qui échappe à la surveillance de ses parents tandis qu'ils ferment la porte de leur appartement, se précipite dans la cage d'escalier et dévale la moitié d'un étage. Mais le plus souvent, ces chutes surviennent au domicile des parents ou de leurs amis, dans les montées d'escalier qui conduisent à l'étage supérieur ou au galetas. L'enfant gravit seul quelques marches et tombe à la renverse. Ou encore, il est au premier et entreprend de descendre tout seul.

Que faire ?

- Protégez l'accès de l'escalier jusqu'à l'âge de 3 ans par une barrière, en haut et en bas.
- Recouvrez les marches de moquette ou de tapis adhésif bien fixé !
- Au bas de l'escalier, protégez le mur et le sol, de manière à amortir une chute éventuelle (moquette épaisse, tapis).
- Si la rampe latérale est équipée de montants donnant sur le vide assez espacés pour permettre le passage de la tête d'un enfant, la chute est possible : fixez sur toute la longueur une moustiquaire solide ou un grillage en plastique.

Les chutes des lits superposés

Ce type de couchage est déconseillé avant l'âge de 6 ans. Les enfants risquent non seulement de tomber durant leur sommeil, mais également pendant les jeux. Etant donné la hauteur de ces lits, le risque de traumatisme est important. Il faut vraiment éviter ces meubles avant que tous vos enfants aient 6 ans révolus. Même si vous avez de grands enfants « raisonnables », vous ne pourrez pas contrôler en permanence que le petit dernier n'y monte jamais.

Que faire ?

- Si la taille de votre appartement vous impose néanmoins cet achat, choisissez les lits les moins hauts possibles, pourvus de la barrière de sécurité la plus élevée qui soit.

- Sur le sol, du côté où les enfants risquent de choir, posez un tapis épais, même sur de la moquette.

Jeux dangereux

Beaucoup de jeux très amusants deviennent vite dangereux, mais on ne peut pas tout interdire ni tout surveiller. Tous les enfants, ou presque, adorent sauter sur le canapé ou sur le lit de leurs parents. Attention à la réception contre un angle du mur, de la table de chevet ou de la table de salon.

Que faire ?

- Protégez tous les angles saillants, tous les éléments qui dépassent et les radiateurs avec une épaisseur de mousse assez rigide.

- Il existe de nombreux types de protection. Choisissez les plus adhésives et les plus rembourrées. L'esthétique de votre salon ou de votre chambre à coucher ne mérite pas un traumatisme crânien grave !

Les chutes des plus grands

De nombreux sports sont à l'origine, chez l'enfant, d'accidents graves voire mortels. Les traumatismes crâniens avec séquelles sont de plus en plus fréquents chez les enfants qui pratiquent des activités telles que le vélo, le ski, l'équitation ou le roller. Pourtant, certains équipements confèrent une protection efficace. Qu'il s'agisse du vélo, du ski, de l'équitation ou du roller, un seul impératif : le port du casque.

Le vélo

Le casque de vélo doit être imposé aussi bien aux jeunes enfants, susceptibles de tomber fréquemment, qu'aux plus grands (en particulier pour le VTT).

En achetant à votre enfant son premier vélo, offrez-lui le casque qui va avec : l'habitude sera prise d'emblée.

Le ski

Les accidents graves sur les pistes de ski proviennent surtout de collisions avec d'autres skieurs, des arbres ou des poteaux mal protégés. Ils sont parfois responsables de traumatismes crâniens gravissimes.

Ces accidents ne peuvent pas toujours être évités mais, moyennant quelques précautions, leurs conséquences peuvent être plus bénignes. Il est préférable de casser un casque que de souffrir d'un traumatisme crânien !

D'ailleurs, casque et lunettes protègent aussi des petits chocs, lorsque les enfants manipulent leurs skis (chute des skis sur d'autres enfants, pointe des spatules envoyées dans les yeux…).

L'équitation

Les chutes de poney ou de cheval sont brutales et les traumatismes crâniens fréquents. Le port du casque est indispensable.

Le roller

Les rollers sont souvent vendus avec des protections adaptées. Utilisez-les !

*On le sait, les enfants portent tout à la bouche.
En résultent parfois des accidents graves lorsqu'un
objet malencontreusement avalé se révèle toxique
ou lorsqu'il se coince dans les voies respiratoires.
La prévention passe essentiellement par l'éviction
des objets dangereux de l'environnement de l'enfant.*

Comprendre

De nombreux objets usuels, apparemment anodins, représentent pour l'enfant en bas âge un danger potentiel. Il est donc nécessaire de modifier vos habitudes, de changer votre regard d'adulte, afin d'apprendre à deviner quels risques se cachent derrière chaque petit objet du quotidien.

Si vous avez plusieurs enfants, ne soyez pas trop confiant. Ce n'est pas parce qu'il n'est rien arrivé à l'aîné que les enfants suivants sont protégés. Bien au contraire ! Le risque est encore plus grand car, malgré toute leur bonne volonté, les aînés ne cessent de laisser traîner dans leur sillage des petits jouets, des petits objets dont ils ne comprennent pas le danger pour le petit frère ou la petite sœur. Sans parler de ceux qui, avec une gentillesse désarmante, donnent à bébé leur bonbon préféré !

La prime enfance est une période particulièrement risquée. L'introduction de corps étrangers dans les voies naturelles est un acte fréquent, lié à la curiosité naturelle de l'enfant. La période à risque débute lorsque le tout-petit commence à attraper des objets. Elle se poursuit lorsque l'enfant devient autonome (vers 8 ou 10 mois quand il rampe, puis plus tard quand il marche). Elle se prolonge de façon variable jusqu'à l'âge de 3 ou 4 ans, voire plus.

PRÉVENTION : CORPS ÉTRANGERS OBSTRUCTIFS

En général, les objets sont avalés par la bouche. Mais on en retrouve dans tous les orifices naturels (nez, oreilles, vagin).

La plupart du temps, l'ingestion accidentelle est sans gravité et passe parfaitement inaperçue. Mais dans certains cas, l'objet est dangereux, en raison de sa composition, de sa forme ou de sa localisation. Il faudra alors, le plus souvent, se rendre chez un spécialiste disposant du matériel adéquat pour retirer le corps obstructif.

Reconnaître le danger

Certains objets sont particulièrement dangereux pour les tout-petits. Les connaître permet de les mettre hors de portée des enfants.

Méfiez-vous notamment de :

- Tous les objets qui ont des extrémités pointues ou acérées (clous, vis, aiguilles, etc.).
- Tous les objets arrondis de la taille d'une pièce d'un euro (2 cm de diamètre). Ils peuvent passer dans l'œsophage et s'y coincer.
- Les piles, et notamment les piles boutons, qui contiennent des produits extrêmement toxiques.

En dehors de ces objets, on retrouve une multitude de corps étrangers, divers quant à leur forme et leur matière (aliments, petits éléments de jouets et même insectes piégés dans l'oreille…).

Prévenir les risques

- Délimitez, si possible, l'espace attribué aux enfants (portes fermées, barrières).
- Expliquez et répétez autant de fois que nécessaire à l'enfant qu'il ne faut pas mettre à la bouche tout ce qu'il ramasse au sol. Débutez cette prévention avant même qu'il sache parler…

PRÉVENTION : CORPS ÉTRANGERS OBSTRUCTIFS

• Passez l'aspirateur et le balai très régulièrement, afin d'éliminer promptement tous les objets dangereux. Une agrafe, une punaise ou un clou tombé à terre, cela arrive très facilement et l'on ne s'en rend pas toujours compte !

• Rangez ou demandez aux aînés de ranger tous les jouets de petite taille. Dans la mesure du possible, faites en sorte que les grands jouent dans une autre pièce que celle du ou des petits. Une pièce que vous pourrez inspecter une fois qu'ils auront fini de jouer et qu'ils auront « rangé » leurs affaires.

• Respectez les recommandations inscrites sur les jouets. De nombreux jeux portent la mention « Ne convient pas à un enfant de moins de 36 mois ». N'enfreignez pas cette règle !

• N'achetez que des jouets portant la norme NF ou CE.

• Ne laissez pas traîner de piles boutons, même en hauteur sur un meuble (ça glisse, ça roule, et la pile peut vite se trouver à terre, à portée de menottes de bébé).

• Attention, vous êtes imités ! Les enfants reproduisent la plupart des comportements et des attitudes des adultes. Si vous bricolez, évitez de mettre une poignée de clous dans votre bouche. De même, lorsque vous vous coiffez, perdez l'habitude de tenir vos épingles entre les dents, même si c'est pratique.

Les piles boutons : danger !

Elles sont omniprésentes (appareils photos, montres, calculettes, réveils…). Leur utilisation étant de plus en plus répandue, les accidents liés à leur ingestion sont de plus en plus fréquents.

▨ D'où vient le danger ?

De leur taille :

Elle varie entre 7 et 20 mm (2 cm) de diamètre. Les plus grosses peuvent se coincer dans l'œsophage et entraîner des signes liés à l'obstruction (difficultés ou impossibilité à avaler, douleurs, vomissements). Reportez-vous au chapitre sur les *étouffements*, page 105.

De leur contenu :

Toutes les piles, quelle que soit leur taille, peuvent provoquer des symptômes en rapport avec la toxicité de leur contenu (brûlures pouvant aller jusqu'à la perforation de l'œsophage).

Les plus courantes sont les piles alcalines au manganèse. Les piles zinc-air, les piles au mercure, les piles à l'oxyde d'argent et les piles au lithium sont plus rares.

Les piles au lithium, souvent plus grosses et plus puissantes que les autres, font partie des plus dangereuses. Il en va de même des piles au mercure. Ces dernières s'ouvrent facilement dans le tube digestif, libérant du mercure, un métal hautement toxique pour l'organisme. Les piles neuves sont plus à craindre, car le «mercure mercurique» qu'elles contiennent est très toxique. Lors de l'utilisation de la pile, le mercure subit une réaction chimique qui le transforme en mercure métallique, peu dangereux.

A l'inverse, les piles zinc-air sont considérées comme les moins dangereuses. Elles ne peuvent pas fonctionner sans air et sont, de ce fait, moins nocives.

De leur charge électrique :

Quel que soit leur type, les piles neuves sont plus dangereuses que les piles usagées : le courant entraîne des brûlures de la paroi interne du tube digestif.

Que faire ?

- Pour les piles neuves, veillez à ce que l'emballage, très résistant, ne soit pas ouvert.
- Lorsque vous changez les piles d'un appareil :
  - Utilisez toutes les piles immédiatement. Sinon, refermez très consciencieusement l'emballage et mettez-le en sûreté.
  - Récupérez et recomptez les piles usagées.
  - Ramenez-les immédiatement au commerçant.

L'étouffement entraîne une asphyxie, c'est-à-dire un arrêt de l'oxygénation de l'organisme. L'enfant peut en garder de graves séquelles, voire y laisser la vie. La vigilance et le respect de mesures de prévention simples sont donc essentiels.

Comprendre

Selon l'âge de l'enfant, la cause des étouffements est différente. Les nourrissons peuvent s'asphyxier en s'étranglant ou à la suite d'une «fausse-route» alimentaire (aliment avalé de travers, qui passe dans les voies respiratoires).

Les mêmes causes sont retrouvées chez l'enfant plus grand, mais les objets incriminés sont différents. Et surtout, de nouveaux risques doivent être pris en compte (respiration en atmosphère confinée, pendaison).

Prévenir les risques

■ Les asphyxies par strangulation

L'asphyxie provoquée par la compression du cou de l'enfant n'est pas un accident exceptionnel. Chaque année, en France, environ 35 enfants de 1 à 4 ans meurent en s'étranglant avec une lanière, une ceinture ou encore avec la chaînette de leur tétine.

Que faire ?

- Choisissez une tétine sans chaînette.
- Si vous persistez à utiliser une tétine munie d'une chaînette, optez pour une chaîne très courte qui ne puisse pas faire le tour du cou de l'enfant. Fixez le clip le plus bas possible, sur le devant du vêtement, jamais sur l'épaule.
- Ne laissez pas traîner de cordes, cordons de rideau, laisses de chien, ficelles, ceintures...

■ La fausse-route asphyxique

C'est un accident très rare. Les nourrissons peuvent s'étouffer en régurgitant des aliments. Chez les plus grands, les fausses-routes sont dues à des objets ou des aliments volumineux.

L'obstruction des voies respiratoires est presque complète, mettant rapidement la vie de l'enfant en péril.

Que faire ?

La prévention impose de connaître quelque peu le rythme des acquisitions psychomotrices de l'enfant. Ainsi, dès l'âge de 4 mois, bébé porte tout à sa bouche. La période dangereuse commence. Dès qu'il se déplace à quatre pattes (vers 8 ou 10 mois), les risques sont décuplés.

Rangez et mettez hors de portée tous les objets dangereux, assez petits pour être avalés, mais suffisamment gros pour se coincer dans la gorge. Il est impossible d'établir une liste de tous les objets à risque. A vous d'agir avec bon sens.

A titre indicatif, voici quelques conseils...

Pour éviter les risques alimentaires :

- Méfiez-vous des noyaux de fruits (pruneaux, abricots...).

- Coupez soigneusement les aliments de votre enfant. Attention notamment aux gros morceaux de viande ou de banane....

- Ne lui donnez jamais de bonbons durs et de dragées. A partir de 4 ans, il pourra consommer des bonbons tendres de taille moyenne.

Pour éviter les accidents par ingestion d'objets de la vie courante :

- Ne laissez jamais traîner capuchons de stylo, grosses piles, boutons, perles, billes, petits morceaux de jouets, petits personnages en plastique, ballons de baudruche, élastiques, etc.

La fausse-route non asphyxiante

Lorsqu'un enfant avale de travers un petit corps étranger ou un fragment d'objet et tousse violemment pendant quelques minutes, sans succès, devient rouge violacé, puis se calme, cela signifie que l'objet s'est trompé de voie, empruntant la trachée-artère, au lieu de continuer son chemin dans l'œsophage. Il a ensuite poursuivi sa route, dépassé les voies respiratoires hautes et fini par se coincer dans une bronche. On parle alors de fausse-route non asphyxiante car l'enfant, après une gêne passagère, retrouve son souffle.

Même si tous les signes de gêne ont disparu, les conséquences peuvent être redoutables. L'objet n'est alors découvert qu'à l'occasion de complications respiratoires, en particulier d'infections pulmonaires à répétition. L'extraction est indispensable et nécessite une bronchoscopie (introduction d'un tube rigide) sous anesthésie générale. Ce geste n'est pas anodin.

L'intervention permet d'enlever le corps étranger, à l'aide d'une

Chez l'enfant plus grand

Les objets en cause dans les fausses-routes sont différents pour les garçons et pour les filles. Cela est évidemment lié aux jeux de chacun. Les accidents causés par des perles, barrettes, boutons et legos surviennent plus volontiers chez les filles. Les clous, vis et fléchettes concernent plutôt les garçons. Expliquez régulièrement à vos enfants le danger de mettre des objets à la bouche.

pince introduite dans le tube rigide. Parfois, le recours à la chirurgie est inévitable, en raison de l'état du tissu pulmonaire. Il peut ensuite subsister des séquelles au niveau du poumon.

Que faire ?

- Aspirez et rangez soigneusement les endroits où vous laissez jouer bébé.

- Ne laissez jamais traîner de clous, vis, punaises, épingles, petits boutons, perles et autres petits objets.

- Respectez scrupuleusement les limites d'âge mentionnées sur les jeux.

- Mettez les petits éléments des jouets hors de portée du petit dernier ou des petits visiteurs.

- Bannissez les fruits secs pour l'apéritif (cacahuètes, noix, noisettes, pistaches), trop souvent responsables de fausses-routes. Ils sont dangereux jusqu'à environ 5 ans. Ensuite, l'enfant est plus attentif aux explications et a appris à bien mâcher. Si vous ne pouvez pas vous en passer, n'en consommez jamais en présence d'enfants. Rangez-les soigneusement et assurez-vous qu'aucun n'est tombé par terre.

Les autres causes

Certains enfants meurent étouffés en s'enfermant, par jeu, dans un placard, un frigo, un coffre de voiture... Attention aux parties de « cache-cache » ! D'autres jouent, sans surveillance, dans des endroits dangereux et se retrouvent ensevelis par du sable ou des graviers. Ces accidents concernent plutôt les enfants plus âgés.

Que faire ?

- Expliquez aux enfants que certains jeux sont dangereux. Incitez-les à vous décrire leurs activités.

- Surveillez-les, même s'il s'agit d'enfants « raisonnables ». Leur notion du danger reste très vague !

A NOTER

Les dangers de la cacahuète

Certains aliments, comme la cacahuète, continuent d'être la cause de fausses-routes chez l'enfant, malgré les mises en garde diffusées dans les médias. La cacahuète détient toujours la palme de ces accidents, avec les autres fruits secs apéritifs (pistache, amande, noisette). Dans la plupart des cas, un moment d'inattention des parents suffit pour que l'enfant attrape une poignée de cacahuètes, la mette dans sa bouche tout en continuant de jouer et de courir... et c'est l'accident ! La cacahuète passe de travers, continue sa route jusqu'à un poumon, avec le risque de complications (infections) que l'on connaît.

PRÉVENTION : INTOXICATIONS

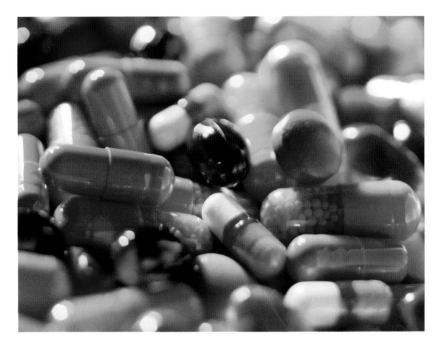

Médicaments, produits ménagers, mais aussi peintures, solvants ou plantes peuvent entraîner de graves intoxications chez l'enfant. Des mesures simples permettent toutefois de limiter considérablement les risques d'accidents.

Comprendre

La curiosité naturelle des enfants les pousse à goûter tout ce qui leur semble appétissant. De la plus grave à la plus bénigne, 100 000 intoxications d'enfants ont lieu chaque année en France. Toutes ne peuvent être évitées, mais celles qui sont liées à l'ingestion de produits ménagers ou de médicaments le devraient.

Ces intoxications surviennent, le plus souvent, parce que les parents ne sont pas assez vigilants ou parce qu'ils sont surpris par la rapidité de l'accident. Ils sous-estiment les capacités de déplacement et de passage à l'acte de leur enfant et se croient en sécurité. Erreur !

Reconnaître le danger

Les médicaments, au même titre que les produits ménagers, doivent faire l'objet d'une vigilance toute particulière. Les laisser à portée de mains des enfants peut entraîner un drame.

D'autres produits, parfois moins connus, peuvent également être responsables de graves intoxications. C'est le cas de certains produits volatils (solvants, peintures) dont les émanations sont particulièrement toxiques pour l'enfant, des produits de jardinage (raticide, herbicide, etc.), de différentes plantes, et même des bouteilles apéritives ou des eaux de toilette qui contiennent de l'alcool. Prudence !

Prévenir les risques

■ Les médicaments

La plupart des intoxications médicamenteuses sont le fruit de l'incurie des adultes qui laissent traîner leurs propres médicaments à portée des enfants. Combien de somnifères ou de tranquillisants négligemment posés sur la table de nuit ! Les conséquences peuvent être d'autant plus graves que les dosages de ces médicaments sont adaptés à l'adulte.

L'autre cas de figure est l'erreur d'administration par les parents eux-mêmes, qui se trompent sur la quantité à donner à l'enfant, ou même intervertissent deux médicaments.

Que faire ?

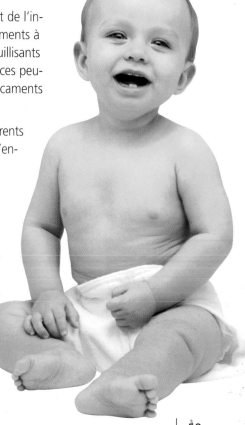

- Veillez à l'armoire à pharmacie : elle doit être en hauteur, fermée avec une clé inaccessible. Lorsque vous avez besoin d'un médicament, prenez uniquement la dose indispensable et fermez le meuble.

- Expliquez bien à l'enfant la différence entre médicaments et friandises, surtout pour les sirops.

- Méfiez-vous des erreurs d'administration : prenez votre temps pour donner son traitement à votre enfant. Rien ne presse ! Lisez

attentivement la prescription (dose et nombre de prises par jour). Et vérifiez le nom et la posologie du médicament sur la boîte ou sur la notice.

• Si le traitement est compliqué et comporte de nombreux médicaments, notez ce que l'enfant a déjà reçu sur une feuille ou sur un tableau.

• Ne donnez jamais à un enfant de médicaments destinés à l'adulte :

- Certaines substances sont formellement contre-indiquées chez l'enfant.

- Les comprimés à avaler et à sucer sont dangereux pour les jeunes enfants. Le risque de « fausse-route » est important en dessous de 6 ans.

- Ne coupez jamais les comprimés en deux, même si l'enfant présente les mêmes symptômes que vous.

Les produits ménagers

Une erreur fondamentale est à éviter :

• Ne transvasez jamais les produits du récipient d'origine, équipé d'un bouchon de sécurité, vers un autre récipient. Combien de mères continuent de mettre des produits ménagers dans des bouteilles vides, d'eau minérale ou de soda, et de les ranger, à portée de leurs enfants, sous l'évier !

Que faire ?

D'autres règles doivent être suivies impérativement :

• Achetez des produits dilués. S'ils sont absorbés par erreur, leur toxicité sera limitée. D'autant que les quantités bues sont souvent faibles chez l'enfant. Evitez donc les berlingots, pastilles et paillettes.

• Si vous achetez un produit concentré, diluez-le immédiatement dans un récipient adapté à cet usage et équipé d'un système de fermeture de sécurité.

• Mettez les produits hors de portée des enfants (jamais sous l'évier ou dans un placard bas, sauf si celui-ci ferme à clé).

• Choisissez de préférence un placard assez haut, pour

que l'enfant ne puisse pas l'atteindre en montant sur une chaise (dès l'âge de 2 ou 3 ans).

- N'achetez que des produits équipés de bouchons de sécurité (c'est presque toujours le cas). Refermez-les après chaque utilisation et rangez-les.

■ Les toxiques volatiles

Les peintures, les solvants, mais aussi certains détachants qui s'évaporent vite au contact de l'air, sont toxiques. On les repère souvent à leur odeur caractéristique et prononcée. Si la nocivité de la plupart des liquides utilisés quand vous bricolez dans votre maison est connue, celle des produits ménagers l'est moins.

Ainsi, un nourrisson est mort parce qu'il dormait dans une chambre dont on venait de nettoyer les rideaux avec du trichloréthylène.

Que faire ?

- Si vous devez utiliser des produits toxiques (peintures, solvants), faites-le en l'absence de votre enfant.
- Si vous repeignez sa chambre, attendez quarante-huit heures avant de l'y installer. Pendant tout ce laps de temps, laissez la fenêtre ouverte et la porte fermée.
- Rangez tous les produits dérivés du pétrole dans des endroits inaccessibles et fermés.

■ Les produits de jardinage

Qu'il s'agisse de raticides, pesticides ou herbicides, les produits de jardinage sont tous extrêmement toxiques. Si leur usage est indispensable, évitez la présence des enfants dans la zone traitée.

Que faire ?

- Utilisez, si possible, l'intégralité du produit en une seule fois, afin d'éviter d'en conserver.
- Si vous n'avez pas pu tout utiliser, rangez bien ce qui reste dans un endroit inaccessible et hermétique.

◼ L'alcool

L'ingestion d'alcool est responsable d'intoxications graves. Elle peut provoquer des hypothermies (baisse importante de la température corporelle), des comas éthyliques. Une telle intoxication est pourtant aisément évitable.

Que faire ?

- Ne laissez pas traîner de verres à moitié vides.
- Rangez soigneusement vos bouteilles entamées.
- Mettez hors de portée des enfants les cosmétiques du type eau de Cologne et autres eaux de toilette, souvent fortement alcoolisés. Les petits curieux risqueraient d'y goûter…

◼ Les plantes

Presque toutes les plantes qui produisent des baies sont toxiques :

- Baies rouges de l'arum, de l'if ou du chèvrefeuille
- Baies noires de la belladone
- Baies blanches du gui.

D'autres plantes sont également toxiques :

- Le poinsettia, appelé à tort « rose de Noël », dont le suc est toxique.
- La *diffenbaccia picta* (son suc est très allergisant).
- Le cytise ou faux chêne (arbuste à fleur qui produit des gousses contenant des graines toxiques).
- Les champignons, et surtout l'amanite phalloïde.
- Beaucoup d'autres plantes extrêmement communes, comme le muguet, le houx, le fusain, le troène, la vigne vierge, le laurier-rose....

Que faire ?

- Expliquez le plus tôt possible à votre enfant qu'il est dangereux de manger ou de mâcher des plantes.
- En attendant qu'il puisse comprendre le danger, renseignez-vous avant d'acheter des plantes d'intérieur ou de fleurir votre jardin.

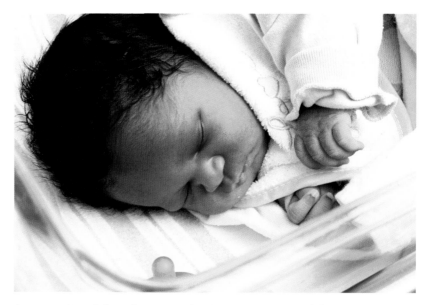

La mort subite du nourrisson est un accident tragique et imprévisible. C'est sans doute le plus redouté des mères de famille qui savent à quel point il est difficile à prévenir. Difficile, mais pas impossible...

Comprendre

La mort subite du nourrisson ne concerne quasiment que les enfants de moins de 1 an. Au-delà de cet âge, elle est rarissime. La quasi-totalité des décès surviennent avant 5 mois (90 % des cas), avec un pic entre 0 et 3 mois (50 % des cas).

Accident dramatique, qui se produit plus souvent lors de la période hivernale, la mort subite du nourrisson touche un peu plus de garçons que de filles (60 % des victimes sont de sexe masculin).

En général, aucun signe ne permet aux parents de s'alerter. Le nourrisson est retrouvé inerte dans son berceau, landau, siège-auto ou transat.

Certains, plus chanceux que d'autres, souffrent parfois d'un malaise grave en présence des parents et échappent ainsi à la mort (reportez-vous au chapitre sur le *malaise grave du nour-*

risson, page 189). Ils feront alors l'objet de bilans médicaux approfondis, afin de rechercher la cause du malaise, de la traiter et d'éviter les récidives.

Reconnaître le danger

Deux fois sur trois, la cause de la mort peut être déterminée. Dans la majorité des cas, il s'agit d'une infection. On retrouve aussi des malformations cardiaques, pulmonaires, cérébrales ou digestives, passées inaperçues. Le reflux gastro-œsophagien représente 10 % des causes connues de morts subites. Parfois, d'autres pathologies en sont responsables, comme certaines maladies héréditaires rarissimes. Leur mise en évidence permet d'effectuer, pour les grossesses suivantes, un dépistage *in utero* ou après la naissance.

Là est tout l'enjeu : une fois le drame passé, il faut avant tout protéger les enfants à venir. Aussi est-il indispensable de comprendre ce qui a provoqué la tragédie.

La naissance d'un enfant dans une famille qui a perdu un nourrisson est forcément un grand bonheur, mais aussi une terrible source d'angoisse pour les parents. Ce nouvel enfant fera l'objet d'un bilan médical systématique. Le but étant de déterminer s'il est porteur d'un risque connu de mort subite et, le cas échéant, de l'en protéger.

Il est très important que votre médecin soit informé des cas familiaux de mort subite.

Que faire si vous découvrez bébé sans vie ?

Même si l'espoir est faible :

- *Téléphonez immédiatement au Samu-15.*
- *Débutez les manœuvres de réanimation cardio-respiratoire (reportez-vous au chapitre sur l'**arrêt cardio-respiratoire**, page 76).*

Prévenir

Si bien des cas de morts subites sont inopinés, imprévisibles et brutaux, un certain nombre de vies pourraient être épargnées par des mesures de précaution simples.

Pour preuve, la campagne d'information nationale, débutée en 1994, a permis de faire connaître aux jeunes mamans certaines causes de mort subite du nourrisson. Notamment, les erreurs en matière de couchage.

Depuis que les associations et maternités se sont unies pour promouvoir le couchage des bébés sur le dos, le nombre de cas de mort subite a nettement diminué. Il est passé de 1 200 cas en 1992, à 358 en 1997.

Des mesures simples vous permettront de limiter le risque de mort subite du nourrisson :

- l'adaptation de son couchage ;

- la prévention des infections ;

- la surveillance de sa digestion.

Dans la chambre

- Couchez toujours votre bébé sur le dos (sauf en cas de contre-indications médicales).

- Choisissez un lit qui respecte les normes Afnor et n'utilisez que le matelas adapté au lit.

- Si vous avez besoin d'un lit pliant d'appoint, préférez ceux de type clic-clac. Leur fond rigide est formé de deux planches de contreplaqué. Le poids de l'enfant bloquant le sommier, le lit ne pourra pas se replier.

- N'utilisez ni drap, ni couverture, ni couette, ni oreiller. Préférez les gigoteuses ou turbulettes adaptées à la taille et à l'âge du bébé. Habillez votre enfant avec des pyjamas de type Babygros® lors de la saison froide et avec des justaucorps en été.

• Maintenez la température de la chambre entre 19 °C et 20 °C, avec un humidificateur si l'air est très sec (par exemple si votre maison est chauffée à l'électricité). Lavez, désinfectez et changez l'eau de l'humidificateur pour éviter la pullulation des microbes. Dans les immeubles à chauffage collectif, faites circuler l'air pour abaisser la température ambiante.

Contre les infections

• Demandez aux visiteurs de ne pas embrasser le bébé.

• Favorisez les modes de garde individuels (assistante maternelle, employée de maison), plutôt que les crèches collectives.

• Dans la mesure du possible, allaitez votre enfant : le lait maternel apporte des moyens supplémentaires de lutte contre les infections.

Les repas

• Gardez bébé dans vos bras après la tétée.

• Attendez qu'il ait fait son rot pour le coucher.

• Consultez votre médecin si les rots de votre enfant sont très tardifs, difficiles, ou encore s'il se tortille, semble souffrir ou s'il régurgite fréquemment du lait longtemps après les biberons.

Pour les enfants, les bassins, mares et piscines ont un attrait irrésistible. Ils sont source de jeux variés, tout comme le bain quotidien, que les petits réclament à cor et à cri. S'il n'est pas question de les priver de ces plaisirs, la surveillance des jeux d'eau doit être étroite. Car le danger est important.

Comprendre

Chaque année, plusieurs dizaines d'enfants trouvent la mort en se noyant. La majorité de ces accidents concernent des nourrissons et des enfants de moins de 5 ans.

Brutales et inattendues, les noyades surviennent le plus souvent au domicile ou à proximité de celui-ci. La mode des piscines privées est également responsable de l'augmentation des cas. On en dénombre plus de 770 000 en France.

La noyade de l'enfant est un accident brutal et rapide. Il se produit d'abord un spasme transitoire de la voie respiratoire (une à

A NOTER

L'association « Sauve qui Veut »

Cette association vous permettra de tout savoir sur la prévention des noyades (précautions à prendre, réglementation en vigueur...). Elle a été fondée par une maman dont le garçon s'est noyé dans une piscine. Outre les informations qu'elle dispense, « Sauve qui Veut » tente de faire avancer la réglementation et la normalisation des systèmes de sécurité, notamment en matière de barrières et de clôtures des piscines privées.

Association « Sauve qui Veut » 1, villa Sainte-Croix 75017 Paris Tél. : 01 42 29 47 53 Fax : 01 42 29 41 81

deux minutes) qui empêche l'eau d'atteindre les poumons. Ce spasme est suivi d'un relâchement qui provoque une inondation pulmonaire. L'asphyxie se manifeste par un bleuissement du visage et une perte de connaissance liée au manque du cerveau en oxygène. La prise en charge est urgente (voir page 143).

Reconnaître le danger

Les piscines et les grands plans d'eau (lacs, étangs, etc.) sont particulièrement dangereux. Les autres pièces d'eau, même si leur profondeur paraît minime, ne sont pas pour autant dénuées de risques. Les baignoires sont chaque année le théâtre de drames. Un tout-petit peut se noyer dans 20 cm d'eau, voire dans un seau d'eau !

Le danger de ces pièces d'eau ne peut pas être apprécié par le petit enfant : tout ce qu'il voit lui paraît plaisant, inoffensif… Aussi est-il capital de ne jamais le quitter des yeux.

Quant à la mer, elle est plus effrayante à cause des vagues. En outre, le goût salé pousse l'enfant à garder la tête hors de l'eau et à fermer la bouche. Les noyades de petits enfants sont donc plus rares en mer. Une surveillance scrupuleuse de la part des parents et la prise de précautions n'en restent pas moins nécessaires.

Prévenir les risques

La salle de bains

Le plaisir du bain et des jeux pousse les enfants à faire couler l'eau dans la baignoire. Outre le risque de brûlure par l'eau chaude, l'enfant peut se noyer à l'insu de tous, en glissant dans la baignoire ou en s'assommant.

- Dans la mesure du possible, bloquez l'accès de la salle de bains à l'aide d'un loquet ou d'un verrou installé en hauteur. Ainsi, votre enfant ne pourra accéder à cette pièce qu'en votre présence.

- Ne laissez jamais un enfant seul dans la baignoire ni, *a fortiori,* deux enfants. A plusieurs, ils risquent de jouer, de chahuter. Si l'un d'eux glisse sous l'eau, l'autre ne comprendra pas forcément ce qui est en train de se passer et n'appellera pas à temps. Cette règle ne doit jamais être transgressée tant que l'enfant n'a pas atteint 4 ou 5 ans.

- Si le téléphone sonne, ne sortez pas de la salle de bains pour répondre. Mettez le répondeur sous tension ou éventuellement utilisez un téléphone sans fil, qui vous permettra de ne pas quitter bébé des yeux.

- Evitez de trop remplir la baignoire. Videz-la immédiatement à la fin du bain.

Les articles de bain disponibles dans les rayons de puériculture améliorent le confort des enfants. Toutefois, ils n'assurent pas une sécurité totale. La surveillance reste indispensable.

- Installez bébé dans un transat adapté pour le bain. A partir de l'âge de 8 mois, quand il parvient à se tenir assis seul, utilisez un siège qui adhère (pourvu de ventouses). Ne quittez pas pour autant la salle de bains. Si bien soutenu qu'il soit, bébé peut toujours se retourner et tomber dans l'eau.

• Quand l'enfant, plus grand, tient debout, placez systématiquement un tapis antidérapant au fond de la baignoire et restez auprès de lui durant le bain.

L'extérieur de la maison

A l'extérieur, la surveillance est l'élément-clé de la prévention.

• Lorsque l'enfant joue dans sa petite piscine gonflable, ne le laissez jamais sans surveillance. Si vous devez vous absenter, même brièvement, emmenez-le avec vous.

• Dans les parcs et jardins pourvus de bassins ou de petits lacs, ne le quittez pas des yeux et ne le laissez pas s'approcher du bord.

• Redoublez de vigilance si vous demeurez dans une résidence disposant d'une piscine privée.

Visites et visiteurs...

Lors des visites chez des parents ou des amis possédant une piscine non protégée, en particulier si vous allez chez des personnes qui n'ont pas d'enfant en bas âge, évitez d'emmener votre progéniture. Sinon, emportez ses bouées et ses brassards, et restez en permanence dans le sillage de votre enfant...

A l'inverse, si vous avez une piscine, n'acceptez pas un trop grand nombre d'enfants chez vous. Les surveiller serait d'autant plus difficile. Demandez aux parents d'apporter les brassards et bouées de leurs enfants, et de les surveiller. Enfin, dès leur plus jeune âge, familiarisez vos enfants avec l'eau (faites-les barboter sous votre surveillance). Et apprenez-leur à nager dès l'âge de 6 ans.

La piscine

A la piscine, la baignade n'est pas le seul moment dangereux. De nombreux accidents ont lieu en dehors des heures de baignade, ou encore lors de la sortie du bain. Prudence !

• En dehors des heures de baignade, les piscines doivent impérativement être protégées selon les recommandations en vigueur. En effet, le risque concerne non seulement les enfants de la maison, mais aussi les petits visiteurs.

• Pendant la baignade, tous les enfants en bas âge et ne sachant pas nager doivent être équipés de bouées et de brassards, même pour jouer aux abords de la piscine. Une chute accidentelle ou un brusque désir de jouer dans l'eau est imprévisible. **ATTENTION !** Les bouées et les brassards permettent seulement de flotter, mais n'évitent pas la noyade. La surveillance reste de mise. L'enfant peut glisser de la bouée, les brassards peuvent se dégonfler.

• A l'arrêt du bain, dès que les bouées sont ôtées, séchez l'enfant et sortez-le immédiatement de l'enceinte de la piscine. Fermez-en l'accès. Rien n'est plus tentant pour un enfant que de replonger immédiatement dans l'eau.

Quelles bouées utiliser ?

Aucune bouée, aucun brassard n'apporte de sécurité absolue. Les bouées ne remplaceront jamais la vigilance. Certaines sont même dangereuses, au point que leur vente est actuellement interdite en France. Il s'agit des bouées-sièges, qui possèdent un fond en plastique, percé de deux orifices dans lesquels l'enfant glisse ses jambes. Lorsque la bouée se retourne, l'enfant reste coincé par les jambes, la tête sous l'eau. Si vous possédez une bouée de ce type, débarrassez-vous en au plus vite !

Quelles protections pour les piscines privées ?

• Elles doivent être entourées par une barrière de protection sans faille (mur ou grillage) et être dotées d'un accès fermé par une serrure inviolable par les enfants.

• L'accès doit rester bloqué en dehors des heures d'utilisation.

• La piscine peut aussi être couverte d'un volet hermétique solide.

ATTENTION ! Les bâches et les filets sont dangereux, car les enfants peuvent se glisser dessous et périr noyés.

ARMOIRE À PHARMACIE

Certains produits sont bien utiles en cas de petits ou de gros bobos : pansements adhésifs, désinfectants, pommades diverses, crèmes anti-inflammatoires, etc. Pour vous éviter d'être pris au dépourvu, nous avons répertorié les « essentiels ».

Toute armoire à pharmacie devrait contenir les produits suivants :

• Des petites et grandes compresses.

• Du coton.

• Un rouleau de sparadrap antiallergique.

• Des pansements adhésifs de tailles diverses, si possible décorés pour que l'enfant n'ait pas tendance à les ôter.

• Un rouleau de bande extensible auto-adhésive.

• Des ciseaux à bout rond.

• Une pince à épiler inoxydable.

Choisissez des désinfectants qui ne piquent pas, vendus sous forme de sprays ou de doses unitaires. Ces présentations évitent la contamination du flacon lors des différentes utilisations. En outre, elles ne risquent pas de se renverser et de se répandre lors des transports.

- Eau oxygénée à 3 % (en spray de préférence).
- Chlorexidine en doses unitaires ou Hexomédine®.
- Chlorure de benzalkonium en compte-gouttes ou spray.
- Eosine aqueuse à 2 % en doses unitaire (sachez que les taches d'éosine sur les vêtements partent au lavage à l'eau tiède savonneuse).
- Dakin® en flacon.

Sont utiles également :

- De l'alcool à 60°. Notez bien que l'alcool vous servira uniquement pour désinfecter les instruments, et non les plaies (pour les plaies, utilisez exclusivement les désinfectants mentionnés plus haut).
- Du sérum physiologique en doses unitaires.
- De la crème à l'arnica pour les bleus et les bosses.
- Une pommade à l'oxyde de zinc pour les inflammations locales (fesses rouges, irritations).
- Un tube de Biafine® pour les brûlures.
- Un tube de vaseline pour glisser le thermomètre dans l'anus de bébé.
- Un thermomètre électronique ou au gallium (si vous possédez encore un thermomètre au mercure, ramenez-le à votre pharmacien).
- Des médicaments antipyrétiques (contre la fièvre, voir page 169) et, surtout, du paracétamol.
- Une crème anti-inflammatoire en cas de piqûre d'insecte (demandez conseil à votre pharmacien).

Sommaire
Accidents graves

Partie **2**

Accidents graves

L'essentiel tout de suite...

En cas d'arrêt cardio-respiratoire, procédez comme suit :

L'enfant ne parle pas, il ne réagit pas, aucun mouvement de la poitrine ni de l'abdomen n'est visible et aucun bruit ou souffle n'est perçu...

- ✓ Appelez au secours immédiatement si vous êtes seul(e), afin d'obtenir de l'aide.
- ✓ Assurez immédiatement la libération des voies aériennes, en basculant doucement la tête de l'enfant en arrière et en élevant son menton.
- ✓ Ouvrez la bouche de la victime et retirez d'éventuels corps étrangers.
- ✓ Appréciez la respiration, et vérifiez que ni le ventre ni la poitrine de l'enfant ne se soulèvent pendant les dix secondes maximum que dure cette recherche.
- ✓ Faites appeler le Samu-15 ou les pompiers-18.
- ✓ Pratiquez immédiatement deux insufflations efficaces (chacune doit entraîner un début de soulèvement de la poitrine) en utilisant la technique du bouche-à-bouche ou du bouche-à-bouche-et-nez en fonction de l'âge de l'enfant.
- ✓ Si la respiration ne reprend pas et en l'absence de mouvement de la petite victime, commencez immédiatement les compressions thoraciques, associées à la ventilation artificielle. Ne vous interrompez pas avant l'arrivée des secours.

Techniques du bouche-à-bouche et du bouche-à-bouche-et-nez :

- ✓ Inspirez de l'air, puis placez votre bouche sur celle de l'enfant après avoir pincé son nez. Chez le tout-petit, placez votre bouche de façon à recouvrir son nez et sa bouche en même temps. Puis insufflez progressivement durant deux secondes, jusqu'à ce que la poitrine de la victime commence à se soulever.

Technique du massage cardiaque externe. Il diffère selon l'âge de l'enfant. Dans tous les cas, installez l'enfant sur un plan dur.

Si c'est un nourrisson :

- ✓ Localisez le sternum du nourrisson et placez la pulpe de deux doigts d'une main dans l'axe du sternum, une largeur de doigt au-dessous d'une ligne droite imaginaire réunissant les mamelons de l'enfant.

✔ Comprimez régulièrement le sternum avec la pulpe des deux doigts d'environ 2 à 3 cm, à une fréquence de cent compressions par minute.

✔ Après cinq compressions, basculez la tête du nourrisson en arrière et élevez le menton en réalisant une insufflation par le bouche-à-bouche-et-nez.

✔ Replacez ensuite la pulpe des doigts dans la bonne position et réalisez cinq nouvelles compressions.

✔ Continuez d'alterner cinq compressions du sternum avec une insufflation jusqu'à l'arrivée des secours.

S'il s'agit d'un enfant de 1 à 8 ans :

Les compressions thoraciques sont réalisées avec un seul bras, après avoir repéré le milieu du sternum.

✔ Placez le talon d'une main sur la moitié inférieure du sternum. Installez-vous au-dessus de l'enfant, à la verticale de sa poitrine. Bras tendu, comprimez le sternum d'environ 3 à 4 cm.

✔ Renouvelez les compressions thoraciques à une fréquence d'environ cent par minute. Après cinq compressions, basculez la tête de l'enfant en arrière, élevez le menton et réalisez une insufflation par le bouche-à-bouche.

✔ Replacez le talon de la main sur le sternum et réalisez cinq nouvelles compressions. Continuez d'alterner cinq compressions sternales avec une insufflation jusqu'à l'arrivée des secours.

Au-delà de 8 ans :

Ce sont les techniques utilisées chez l'adulte qui s'appliquent.

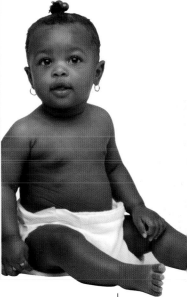

✔ Les compressions sternales s'effectuent strictement sur la ligne médiane, en dessous d'une ligne imaginaire reliant les mamelons, en plaçant une main sur l'autre et en conservant les bras tendus.

✔ On intercale deux insufflations toutes les quinze compressions du sternum, à un rythme de cent compressions par minute associées à huit à dix insufflations efficaces.

Comprendre

L'arrêt cardio-respiratoire peut survenir à l'occasion de nombreux accidents ou lors d'affections aiguës. Connaître les manœuvres de base de la réanimation est donc d'une importance cruciale. Il s'agit là d'une urgence vraie. Il ne suffit pas d'appeler les secours. Encore faut-il pouvoir intervenir rapidement et efficacement pendant les très longues minutes qui séparent votre appel de leur arrivée.

Au cours d'un arrêt cardio-respiratoire, deux fonctions vitales sont momentanément défaillantes : la respiration et les battements cardiaques. Il va falloir, au plus vite, ventiler l'enfant et réamorcer la pompe cardiaque.

La ventilation artificielle permet d'oxygéner le sang qui irrigue les organes vitaux, dont le cerveau.

Le massage cardiaque remplace l'activité du cœur. Il permet de rétablir et de maintenir l'irrigation sanguine des centres vitaux, en attendant soit la reprise spontanée des battements du cœur, soit la reprise médicalement provoquée. Cela évite que des organes essentiels, comme le cerveau, ne souffrent du manque d'oxygène et en conservent des séquelles.

Reconnaître les signes

Pour déterminer si l'enfant est en arrêt cardio-respiratoire :

- Observez les mouvements de la poitrine. Découvrez le thorax et regardez s'il se soulève.

- Recherchez un éventuel souffle respiratoire : approchez votre oreille et votre joue de la bouche de l'enfant pour percevoir un souffle.

Dans le cas d'un arrêt cardio-respiratoire, la victime ne respire pas, aucun souffle n'est perçu, aucun bruit n'est entendu. Ni le ventre, ni la poitrine de la victime ne se soulèvent pendant les dix secondes que dure cette recherche.

Réagir

▊ L'intervention, étape par étape

Devant un enfant inanimé, inconscient, en arrêt cardio-respiratoire, il faut être capable de réagir rapidement et de manière adaptée. Surtout, essayez de ne pas paniquer, même si la situation est terrible pour un parent.

Appelez à l'aide et faites le diagnostic

- Demandez de l'aide à proximité (si possible, tâchez d'être deux ou, mieux, trois, mais pas plus !).
- Appelez ou faites appeler les secours (Samu-15 ou pompiers-18).
- Allongez l'enfant sur un plan dur (pas sur un lit, mais sur une table ou bien à même le sol).
- Evaluez rapidement l'état de l'enfant.

En présence d'un arrêt cardio-respiratoire, entamez les deux manœuvres en alternance (ventilation artificielle et massage cardiaque externe). Ces gestes sont différents selon l'âge de l'enfant. Ils peuvent être pratiqués par des personnes dépourvues de savoir médical particulier. Reportez-vous aux encadrés et aux schémas qui les illustrent (pages 83, 84 et 85).

Pratiquez la réanimation

- Assurez-vous d'abord que les voies respiratoires de l'enfant sont dégagées et qu'aucun corps étranger ne les obstrue (reportez-vous au chapitre sur les *étouffements*, page 111).

- Nettoyez, le cas échéant, les sécrétions ou les glaires qui encombrent les voies respiratoires.

- Commencez la ventilation artificielle par deux insufflations successives.

- Si la respiration ne reprend pas et en l'absence de mouvement de la petite victime, commencez immédiatement les compressions thoraciques, associées à la ventilation artificielle. Ne vous interrompez pas avant l'arrivée des secours.

La fréquence des compressions sternales doit être de cent par minute quel que soit l'âge de la victime, associée à huit à dix insufflations efficaces.

Toutes les minutes environ, interrompez les manœuvres de réanimation cardio-pulmonaire pour rechercher la présence de signe de circulation. **ATTENTION !** Cette recherche ne doit jamais excéder dix secondes.

La ventilation chez l'enfant et le nourrisson
(technique du bouche-à-bouche)

- Couchez le nourrisson ou l'enfant à plat sur le dos, sur une surface dure.

- Placez deux doigts sous son menton, afin de basculer doucement sa tête vers l'arrière et de maintenir sa bouche ouverte.

- Insufflez :
  - Si c'est un nourrisson, englobez à la fois le nez et la bouche de l'enfant (schéma 1).
  - Si c'est un enfant plus grand, pincez-lui le nez (schéma 2).

- Appliquez vos lèvres sur la bouche ouverte.

- Soufflez l'air dans la bouche de manière assez puissante pour soulever le thorax. Si celui-ci se soulève effectivement, c'est le signe que votre manœuvre est efficace

- Relevez-vous légèrement pour inspirer de l'air frais, pendant que le thorax s'affaisse et se vide.

- Recommencez.

Schéma 1

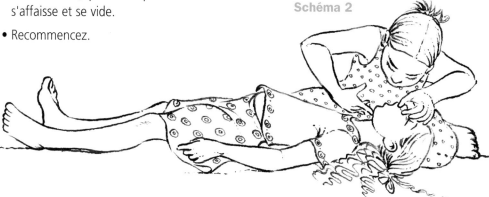

Schéma 2

- Maintenez un rythme d'environ vingt insufflations par minute .

- Contrôlez la reprise de signes de vie toutes les minutes environ. En leur absence, poursuivez alternativement ventilation artificielle et massage cardiaque.

Le massage cardiaque externe
(ou MCE)

En présence d'un arrêt cardio-respiratoire (reportez-vous à la section *Reconnaître les signes*, page 79), commencez le massage cardiaque externe.

Celui-ci doit toujours être associé à la ventilation artificielle, au rythme d'une insufflation pour cinq mouvements de massage cardiaque chez le nourrisson et l'enfant de 1 à 8 ans, et de deux insufflations pour quinze mouvements de massage cardiaque chez l'enfant de plus de 8 ans.

ATTENTION ! La technique est différente selon l'âge (nourrisson, petit enfant ou enfant plus grand...)

Schéma 3

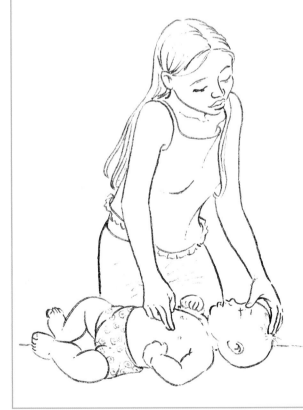

S'il s'agit d'un nourrisson

- Placez-vous latéralement.

- Localisez le sternum du nourrisson et placez la pulpe de deux doigts d'une main dans l'axe du sternum, une largeur de doigt au-dessous d'une ligne droite imaginaire réunissant les mamelons de l'enfant.

- Comprimez régulièrement le sternum avec la pulpe des deux doigts d'environ 2 à 3 cm.

- La fréquence des compressions sternales doit être de 100 par minute.

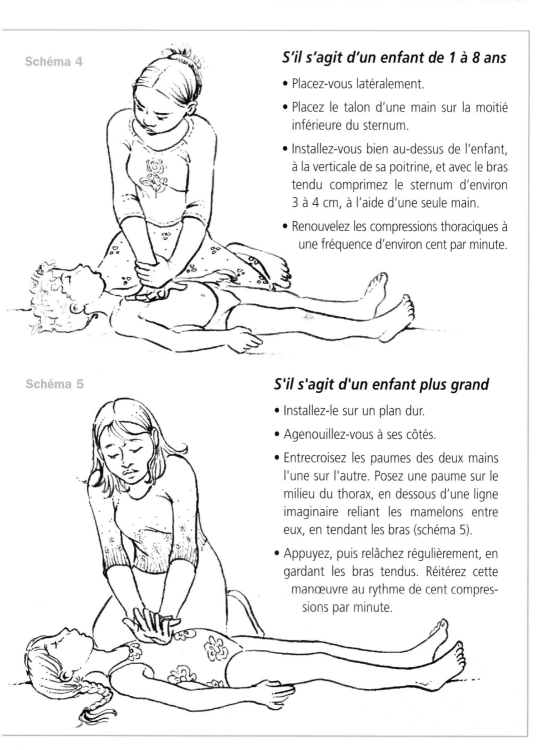

Schéma 4

S'il s'agit d'un enfant de 1 à 8 ans

- Placez-vous latéralement.
- Placez le talon d'une main sur la moitié inférieure du sternum.
- Installez-vous bien au-dessus de l'enfant, à la verticale de sa poitrine, et avec le bras tendu comprimez le sternum d'environ 3 à 4 cm, à l'aide d'une seule main.
- Renouvelez les compressions thoraciques à une fréquence d'environ cent par minute.

Schéma 5

S'il s'agit d'un enfant plus grand

- Installez-le sur un plan dur.
- Agenouillez-vous à ses côtés.
- Entrecroisez les paumes des deux mains l'une sur l'autre. Posez une paume sur le milieu du thorax, en dessous d'une ligne imaginaire reliant les mamelons entre eux, en tendant les bras (schéma 5).
- Appuyez, puis relâchez régulièrement, en gardant les bras tendus. Réitérez cette manœuvre au rythme de cent compressions par minute.

L'essentiel tout de suite...

En cas de brûlure, procédez comme suit :

✔ Arrosez systématiquement la zone brûlée d'eau fraîche (environ 15°C, surtout pas d'eau glacée), pendant cinq minutes.

Pour une brûlure grave...

✔ Contactez le SAMU-15.

✔ Si l'enfant est habillé et que la brûlure est située sous ses vêtements, vous agirez différemment selon la qualité du vêtement.

– Vêtement en fibres naturelles (coton, laine, lin) : enlevez doucement les habits ou découpez le tissu, tout en faisant couler de l'eau sur la zone brûlée.

– Vêtement en fibres synthétiques : ne les retirez jamais ! Faites couler de l'eau fraîche pendant au moins cinq minutes sur le vêtement collé à la peau lésée.

Pour une brûlure superficielle...

✔ S'il s'agit d'une brûlure superficielle (rougeur) et de petite taille, vous pouvez, après avoir arrosé pendant cinq minutes la zone lésée à l'eau fraîche, appliquer de la Biafine® ou de la Flammazine® en couches épaisses.

✔ Recouvrez ensuite la plaie d'une compresse stérile, puis consultez un médecin.

Comprendre

Il faut distinguer les brûlures externes des brûlures internes.

Comme leur nom l'indique, les brûlures externes affectent l'enveloppe cutanée (peau). Elles peuvent être provoquées par un liquide corrosif, un solide ou un liquide brûlant, des cendres, des flammes, de la vapeur d'eau très chaude... et même par un rayonnement trop intense (brûlures solaires).

Les brûlures internes sont, pour la plupart, des brûlures du tube digestif liées à l'ingestion d'un liquide trop chaud ou d'une substance corrosive. On considère qu'une brûlure est grave dès lors que des signes de difficultés respiratoires apparaissent.

Réagir

Ne paniquez pas ! Certes, l'enfant souffre, mais gardez votre calme pour ne pas l'effrayer.

- **Si vous êtes seul(e) :** occupez-vous d'abord de la brûlure, puis contactez le Samu-15 ou les pompiers-18.

- **Si vous êtes deux :** occupez-vous de la brûlure, pendant que l'autre personne contacte le Samu-15 ou les pompiers-18. Le centre décidera de la prise en charge en fonction de l'évaluation de la gravité de la brûlure.

Un cas particulier : la brûlure électrique

*Coupez **D'ABORD** le courant. Ensuite, occupez-vous de l'enfant. Le danger d'une brûlure électrique vient du dégagement massif de chaleur sur le trajet du courant. Cela peut avoir de graves conséquences et provoquer en quelques jours une nécrose des tissus. Il faut donc obligatoirement consulter un médecin pour montrer les zones atteintes, entre le point d'entrée du courant et le point de sortie. Ensuite, vous suivrez l'avis du praticien.*

■ Les brûlures graves

• Faites longuement couler sur la zone brûlée de l'eau fraîche (environ 15°C, surtout pas d'eau glacée). Attention : faites couler l'eau **AUTOUR** de la brûlure (15 cm) et non pas directement sur la plaie. Continuez pendant cinq à dix minutes (cela calme la douleur et prévient l'œdème des zones périphériques).

Si l'enfant est habillé et que la brûlure est située sous ses vêtements, vous agirez différemment selon la qualité du vêtement.

Vêtement en fibres naturelles (coton, laine, lin)

• Enlevez doucement les habits ou découpez le tissu, en faisant couler de l'eau sur la zone brûlée, comme décrit précédemment.

Vêtement en fibres synthétiques

• Ne les retirez jamais ! Faites couler de l'eau fraîche par-dessus le vêtement collé sur la peau lésée.

Quel que soit l'état de l'enfant, contactez le Samu-15 en urgence.

Croix-Rouge française

■ Les brûlures superficielles peu étendues

S'il s'agit d'une brûlure superficielle (simple rougeur) et de petite taille, vous pouvez, après avoir aspergé d'eau fraîche la zone lésée, appliquer de la Biafine® ou de la Flammazine® en couche épaisse. Recouvrez la plaie de compresses stériles, puis consultez un médecin.

■ Les brûlures solaires

La brûlure solaire se manifeste le plus souvent par un érythème solaire, simple rougeur douloureuse. Des brûlures du second degré peuvent cependant apparaître.

Que faire ?

- Si c'est un érythème solaire (rougeur), traitez comme une brûlure superficielle.
- Donnez à l'enfant un antalgique de type paracétamol.
- Faites boire la petite victime.
- Ne percez jamais les cloques.
- Rafraîchissez à l'eau (pas d'eau de mer !) et consultez un médecin.

■ Les brûlures de l'œil

Ses principales causes : un produit chimique qui jaillit dans l'œil ou des cendres chaudes (cigarette, barbecue…).

Que faire ?

- Rincez l'œil, en le passant doucement sous l'eau du robinet (vous pouvez également utiliser de l'eau en bouteille) pendant au moins dix minutes.
- Couvrez l'œil, sans trop serrer le pansement, avec des compresses ou un linge propre et fin.
- Consultez un ophtalmologiste en urgence.

Les différents stades de brûlures : de la moins grave à la plus grave

On distingue trois types de brûlures :

- La brûlure du premier degré. A ce stade, il s'agit d'une brûlure superficielle. La peau est rouge et douloureuse.

- La brûlure du second degré. La peau se couvre de cloques contenant du liquide. Elle est parfois abrasée, le revêtement sous-cutané est à nu.

- La brûlure du troisième degré. La peau a disparu et laisse place à une plaie indolore d'un aspect cireux ou noirâtre.

A partir du second stade, il faut impérativement consulter un médecin. Il en va de même pour une brûlure du premier degré étendue.

■ Les brûlures internes

Elles résultent de l'ingestion accidentelle d'un produit corrosif ou d'un liquide bouillant.

- Appelez ou faites appeler immédiatement les secours (Samu-15).

- Calmez l'enfant du mieux que vous pouvez. Surveillez sa respiration, son cœur, son état de conscience.

- Vous pouvez avoir à pratiquer des manœuvres de réanimation en cas d'arrêt cardio-respiratoire (reportez-vous au chapitre sur l'*arrêt cardio-respiratoire*, page 76).

L'essentiel tout de suite...

En cas de choc allergique (choc anaphylactique), procédez comme suit :

✔ Appelez ou faites appeler les secours (Samu-15).
✔ Surélevez les jambes et les pieds de l'enfant de 20 cm environ.
✔ Surveillez son état cardio-respiratoire.

Si vous avez une seringue d'adrénaline prête à l'emploi. et que votre médecin vous l'a conseillé :

✔ Injectez doucement le produit jusqu'à la reprise d'un pouls perceptible au niveau du poignet.

Si vous n'avez pas d'adrénaline, mais que vous disposez de corticoïdes injectables comme le Célestène® ou le Solumédrol®...

✔ Injectez-les selon les recommandations du médecin.

Si vous ne possédez aucun médicament...

✔ Surveillez les constantes vitales de l'enfant. Couchez-le sur le côté si sa respiration est normale (position latérale de sécurité).
✔ Commencez la réanimation cardio-respiratoire si elle devient nécessaire.

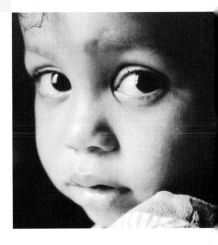

Comprendre

Le choc anaphylactique est **une réaction allergique grave, parfois mortelle**. Il est déclenché par une piqûre d'insecte, un médicament ou un aliment auquel le sujet est fortement réactif.

Il est important de savoir en reconnaître les signes annonciateurs, car il s'agit là d'un accident nécessitant une prise en charge urgente.

L'adrénaline sauve des vies !

*Appelée aussi épiné-
phrine, l'adrénaline est
le médicament de base
lors d'un choc anaphylac-
tique. Des kits prêts à
l'emploi sont disponibles
en pharmacie
(sur ordonnance).
Ils contiennent une
seringue d'adrénaline.
La seringue est graduée
par des traits. Suivez bien
la notice et les conseils
de votre médecin.*

Reconnaître les signes

- L'enfant se plaint de picotements au niveau du visage ou sur tout le corps.

- Il se sent mal, souffre de nausées, éprouve des difficultés à respirer et donne l'impression d'étouffer.

- Il change de couleur, devient tout pâle ou, au contraire, tout rouge. Ses lèvres bleuissent.

- Ses mains et ses pieds sont glacés.

- Parfois son visage, ses paupières ou sa bouche gonflent. C'est très grave, il faut agir vite.

Réagir

- Appelez ou faites appeler les secours (Samu-15).

- Surélevez les jambes et les pieds de l'enfant de 20 cm, en glissant un gros coussin sous ses genoux (cela permet de maintenir une circulation sanguine suffisante dans les organes vitaux).

- Surveillez son état cardio-respiratoire (reportez-vous au chapitre sur l'arrêt cardio-respitaroire, page 76).

▓ Ensuite, trois cas se présentent :

Vous avez une seringue d'adrénaline prête à l'emploi (seringue graduée par des traits). Sur les conseils de votre médecin...

- Piquez avec l'aiguille, juste sous la peau (pincez la peau avec vos doigts, entre le pouce et l'index).

- Injectez doucement le produit, trait après trait, jusqu'à la reprise de conscience et jusqu'à ce que vous puissiez observer des bruits du cœur et des pouls bien frappés.

Vous n'avez pas d'adrénaline, mais vous disposez de corticoïdes injectables, comme le Célestène® ou le Solumédrol®. Sur les conseils de votre médecin...

- Injectez-les. Bien que moins efficaces que l'adrénaline, ils agiront quand même sur l'œdème et sur l'inflammation.

- Surveillez les constantes vitales (pouls, respiration).

Vous ne possédez aucun médicament...

- Surveillez les constantes vitales (pouls, respiration). Couchez l'enfant sur le côté si sa respiration est normale (position latérale de sécurité, voir page 145).

- Commencez la réanimation cardio-respiratoire si elle devient nécessaire (reportez-vous au chapitre sur l'*arrêt cardio-respiratoire*, page 76).

Après cet épisode, équipez l'enfant d'une trousse minimale, avec une seringue injectable, et munissez-le d'une carte mentionnant son nom, son adresse, le type d'allergie dont il souffre et le traitement indispensable.

L'essentiel tout de suite...

En cas de chute sur la tête, procédez comme suit selon la situation :

L'enfant pleure immédiatement...

✔ Rassurez-le.

✔ Vérifiez qu'il peut bouger tous ses membres.

✔ Si tout vous semble normal, surveillez-le attentivement durant trente-six heures.

✔ S'il s'endort et que vous ne parvenez pas à le réveiller ou s'il convulse, conduisez-le aux urgences ou appelez le Samu-15.

L'enfant a perdu connaissance...

✔ Téléphonez ou faites téléphoner au Samu-15, tout en intervenant.

✔ Assurez-vous que l'enfant respire.

✔ Placez-le sur le côté pour lui permettre de respirer plus facilement et ouvrez-lui la bouche.

✔ Le cas échéant, nettoyez la plaie.

Comprendre

Chez l'enfant de moins de 5 ans, les traumatismes crâniens sont, le plus souvent, consécutifs à des accidents domestiques. Pour les plus grands, la principale cause réside dans les accidents de jeux ou de sport.

«Traumatisme crânien» signifie que le choc entraîne une atteinte du crâne et parfois de son contenu, le cerveau.

Ce qui est grave lors de ces accidents, c'est donc plus la lésion du cerveau que la fracture du crâne. Toutefois, les deux surviennent souvent conjointement. Si le choc est direct sur la tête, les lésions sont plus graves.

A NOTER

Les nourrissons en première ligne

*Les traumatismes crâniens sont plus fréquents chez les nourrissons et les enfants en bas âge, car la taille et le poids de leur tête sont proportionnellement plus importants. C'est l'occasion de réaffirmer la nécessité des mesures de protection décrites dans le chapitre sur la **prévention des chutes** (reportez-vous à la page 33).*

Réagir

La perte de connaissance immédiate est l'élément principal qui vous permettra de faire la distinction entre une chute nécessitant une prise en charge médicale et une chute n'exigeant qu'une simple surveillance à domicile.

■ Chute sans perte de connaissance (après la chute, l'enfant pleure immédiatement)

• Rassurez l'enfant et vérifiez qu'il bouge normalement tous ses membres.

• Si tout est normal, une simple surveillance à domicile pendant environ trente-six heures est suffisante :

– Soyez attentif au comportement de l'enfant : est-il normal ? Réagit-il comme d'habitude ?

– Parlez-lui régulièrement pour voir si ses réponses sont claires et cohérentes.

– Réveillez-le toutes les trois heures durant la première nuit afin de détecter la survenue éventuelle d'un coma secondaire (ne secouez pas votre enfant ! Si vous n'arrivez pas à le réveiller, conduisez-le aux urgences ou appelez le Samu-15).

Toute anomalie doit conduire à une consultation médicale urgente.

Traumatismes crâniens : il n'y a pas que les chutes...

En dehors des chutes, un choc direct sur la tête avec un objet solide pendant un jeu ou une dispute peut aussi occasionner un traumatisme crânien.

Pensez-y devant un enfant qui présente les signes décrits plus haut. Examinez sa tête, à la recherche d'une plaie ou d'une bosse éventuelle.

■ Chute avec perte de connaissance immédiate

- Restez le plus calme possible, mais agissez rapidement.

- Téléphonez ou faites téléphoner au Samu-15, en même temps que vous intervenez :

  – Assurez-vous que l'enfant respire (reportez-vous au chapitre sur l'*arrêt cardio-respiratoire,* page 76).

  – Etendez-le sur le côté pour lui permettre de respirer plus facilement. Ouvrez-lui la bouche doucement.

  – S'il présente une plaie, nettoyez-la et arrêtez le saignement. Protégez la plaie avec des compresses, stériles si possible, ou un linge très propre (reportez-vous aux chapitres sur les *plaies et écorchures* et sur les *saignements*, page 224 et page 231.

Les chutes avec perte de connaissance immédiate sont rares (4 % des chutes) et le plus souvent sans gravité. Elles se soldent habituellement par un retour au domicile sous surveillance (reportez-vous aux mesures décrites dans la section *Chute sans perte de connaissance*).

Dans les cas graves, une radiographie du crâne est inutile. Seul un scanner cérébral pourra évaluer l'état du cerveau.

■ Les traumatismes avec lésion cérébrale

Le choc peut provoquer un saignement localisé, puis un hématome. Le tissu cérébral peut aussi être écrasé par le choc (contusion). Enfin, on peut observer une réaction inflammatoire et un œdème cérébral.

Des traumas invisibles !

Des lésions du cerveau sont possibles, même sans fracture. Certaines lésions cérébrales (comme l'hématome extra-dural) n'entraînent pas toujours de perte de connaissance immédiate chez l'enfant. L'éventualité d'une altération secondaire de la conscience nécessite une surveillance rigoureuse pendant les trente-six heures qui suivent la chute.

Quels sont les signes ?

- Perte de connaissance immédiate ou perte de conscience secondaire.
- Convulsions localisées ou généralisées (reportez-vous au chapitre sur les **convulsions**, page 153).
- Comportement inhabituel, somnolence, manque de réaction.
- Vomissements.
- Anomalie du visage (immobilité d'une partie du visage, déviation d'un œil...).
- Absence de mouvements d'un membre ou de tout un côté du corps.
- Respiration anormale, irrégulière, saccadée. Pauses respiratoires.
- Coma avec raideur du corps et mouvements d'extension, tête en arrière.

Que faire ?

Si l'enfant est inconscient, immobile ou convulse, reportez-vous à la section *Chute avec perte de connaissance immédiate.*

Quel est le traitement ?

La prise en charge varie selon la gravité de l'atteinte décelée au scanner.

- Un enfant qui présente des vomissements, qui est somnolent ou qui répond confusément aux questions posées, fera l'objet d'une surveillance et d'un traitement hospitalier dans un service de pédiatrie. Ce suivi dure, en général, deux à trois jours.

- Si l'état de l'enfant est plus grave, l'hospitalisation en réanimation neurochirurgicale sera nécessaire. Le choix du traitement est souvent multidisciplinaire et tient compte de l'avis des médecins de neurochirurgie et de réanimation.

- Certaines lésions cérébrales (comme les hématomes sous-duraux ou extra-duraux) doivent être traitées chirurgicalement, pour évacuer le sang qui comprime le cerveau. L'œdème cérébral nécessite, quant à lui, une prise en charge médicale en réanimation.

- A plus long terme, les enfants qui ont subi un traumatisme grave risquent de développer une épilepsie dite «lésionnelle», provoquée par la «cicatrice» dans le cerveau. Ils peuvent aussi souffrir de séquelles autres, neuro-sensorielles ou comportementales.

L'essentiel tout de suite...

En cas d'ingestion ou d'introduction par l'enfant d'un corps étranger dans un orifice naturel, procédez comme suit :

Corps étranger avalé...

✔ Ne tentez pas de faire vomir l'enfant.

✔ Consultez un médecin.

Corps étranger dans le nez...

✔ Demandez à l'enfant de se moucher en soufflant fort.

✔ Si l'objet est toujours coincé, **NE TENTEZ RIEN D'AUTRE.**

✔ Emmenez immédiatement l'enfant chez un ORL.

Corps étranger dans les oreilles...

✔ Ne tentez rien.

✔ Ne mettez pas d'eau dans le conduit auditif.

✔ Emmenez l'enfant chez un ORL.

Comprendre

Le petit enfant porte tout à sa bouche : cailloux, billes, perles... Le tube digestif est donc la localisation la plus fréquente des corps étrangers (dix fois plus que les autres endroits).

Tous les corps étrangers ne sont pas pour autant avalés. Certains sont introduits, par inadvertance ou par jeu, dans les orifices naturels : nez, oreilles et même vagin.

Réagir

■ **Les corps étrangers introduits dans le tube digestif**

Fort heureusement, ces accidents sont presque toujours bénins. L'ingestion de petits objets arrondis se règle généralement par une évacuation dans les selles.

• Si vous assistez à l'accident, consultez un médecin. Il prescrira une radiographie pour confirmer la présence du corps étranger si celui-ci est visible aux rayons X.

Une fois le corps étranger repéré, plusieurs cas se présentent.

L'objet est de petite taille et arrondi (petit caillou, petit jouet, bille, perle)

Lorsqu'il aura passé l'estomac, il continuera sa traversée du tube digestif, jusqu'à l'évacuation dans les selles. Il n'y a rien à faire de particulier, hormis surveiller les selles de l'enfant pour confirmer l'évacuation de l'objet.

L'objet est pointu ou acéré (clou, aiguille...)

Ces objets sont facilement repérés par la radiographie simple s'ils sont métalliques. Le danger réside dans leur forme, qui risque de perforer le tube digestif. Il est alors possible que l'objet migre vers d'autres organes. Une fois l'objet localisé, il faut procéder à son extraction en urgence.

Il s'agit d'une arête de poisson

Son ingestion est rarement grave, car l'arête est assez souple. Mais elle risque de se piquer dans l'amygdale. Des boulettes de mie de pain aideront à la faire passer. Toutefois, si une toux incessante persiste, il faut consulter. Reste que les parents ne s'aperçoivent pas systématiquement de la présence d'une arête : c'est parfois un abcès de l'amygdale qui révèle son existence.

Un cas particulier : la « pile bouton »

La prise en charge médicale dépend de la localisation de la pile et de ce qu'elle peut provoquer selon son type et sa taille.

La pile bouton est coincée dans l'œsophage

Les symptômes sont une difficulté, voire une impossibilité complète à avaler (dysphagie), ou encore des vomissements (parfois sanglants).

Au bout de trois heures, la pile peut entraîner des brûlures de la paroi de l'œsophage. Et au-delà de six heures environ, si elle ne bouge pas, son liquide (acide ou basique) risque de perforer l'œsophage.

Parfois, les signes sont plus discrets. Tout évolue à bas bruit (sans symptôme décelable) jusqu'à l'apparition d'un rétrécissement de l'œsophage (sténose), qui correspond à la cicatrisation des brûlures.

- Ne tentez jamais de faire vomir l'enfant, ni manuellement, ni avec des médicaments.

- Consultez en urgence dans un centre hospitalier. Après contrôle radiologique de la position de la pile, celle-ci sera extraite par œsophagoscopie, sous anesthésie générale. La pile sera enlevée en introduisant une pince et un œsophagoscope (qui permet de contrôler l'état de la muqueuse digestive).

La pile bouton est dans l'estomac

La pile est avalée. Le plus souvent, elle va transiter rapidement par l'estomac sans occasionner de lésions. Si elle stagne dans l'estomac, son enveloppe risque d'être attaquée par les sécrétions gastriques qui sont corrosives. Cela entraînera la libération du contenu de la pile.

- Ne tentez jamais de faire vomir l'enfant, ni manuellement, ni avec des médicaments.

- Consultez en urgence dans un centre hospitalier. Le traitement dépend des résultats de la radiographie et de l'évolution de l'état de l'enfant :

- Simple surveillance radiologique pendant vingt-quatre heures si la pile poursuit sa route vers l'intestin.

- Extraction par endoscopie si la radiographie montre que la pile reste bloquée dans l'estomac.

Les autres localisations digestives

La pile passe de l'estomac dans l'intestin grêle, puis dans le côlon. En principe, chez l'enfant, l'évacuation dans les selles se fait assez rapidement (entre deux et trois jours).

Exceptionnellement, la pile se coince dans un repli de l'intestin grêle, avec un risque de brûlure, de perforation ou d'intoxication par le métal contenu dans la pile.

• Consultez en urgence dans un centre hospitalier. Une radiographie y sera effectuée pour localiser la pile. L'enfant bénéficiera d'un traitement laxatif et d'une surveillance clinique jusqu'à l'évacuation spontanée de la pile dans les selles. La chirurgie est réservée aux cas graves, avec perforation intestinale.

CORPS ÉTRANGERS OBSTRUCTIFS

▪ Les corps étrangers introduits dans le nez

Lorsqu'un objet est introduit dans le nez, toutes les manœuvres faites à domicile risquent de le repousser au fond des fosses nasales. Pire encore : l'objet peut passer dans les poumons et entraîner une fausse route (reportez-vous à la page 111). La prudence est donc de mise.

Que faire ?

> • Demandez à l'enfant de se moucher (s'il sait le faire) et de souffler fort. Cette manœuvre peut suffire à déloger l'objet.
> • Ne tentez rien d'autre.
> • Si l'objet est toujours coincé, emmenez l'enfant immédiatement chez un spécialiste ORL, équipé du matériel nécessaire.

▪ Les corps étrangers introduits dans les oreilles

Le plus souvent, il s'agit de petits objets. Mais un insecte peut aussi se glisser dans l'oreille d'un enfant.
Si vous n'avez pas assisté à l'accident, pensez à cette hypothèse face à un enfant qui semble moins bien entendre, vous fait répéter quand vous parlez ou encore tend toujours la même oreille devant la télévision.

Que faire ?

> • Ne tentez rien vous-même. Toute manœuvre inadéquate risque de provoquer une inflammation locale, une infection, voire une perforation du tympan.
> • Surtout, ne mettez pas d'eau dans le conduit auditif : l'objet pourrait gonfler.
> • Quelle que soit la manière dont vous découvrez le corps étranger, il faut toujours consulter un spécialiste ORL, qui va extraire le corps étranger et contrôler l'état du tympan.

Les corps étrangers introduits dans le vagin

C'est une situation plus rare que les autres. Un corps étranger vaginal peut être suspecté chez une petite fille présentant des pertes sales et des traces souillant sa culotte.

Que faire ?

• Consultez un médecin pour un examen approprié.

L'essentiel tout de suite...

En cas d'électrisation, procédez comme suit :

✓ Coupez le courant AVANT de toucher à la petite victime.

✓ Appelez les secours (Samu-15 ou pompiers-18).

✓ En l'absence de signes de vie, pratiquez alternativement le massage cardiaque externe et la ventilation artificielle (reportez-vous au chapitre sur l'*arrêt cardio-respiratoire*, page 76).

✓ Si l'enfant ne récupère pas, ne vous interrompez pas avant l'arrivée des secours.

Comprendre

L'électrisation d'un enfant a deux conséquences majeures. D'abord, l'arrêt cardio-respiratoire, mais aussi la brûlure provoquée par le courant. L'urgence absolue est de faire repartir le cœur de l'enfant. Ensuite seulement, vous prodiguerez des soins annexes.

Le terme d'électrocution, abusivement employé pour décrire la plupart des électrisations, ne désigne normalement que les cas mortels.

Réagir

• Ne touchez pas la victime tant qu'elle est en contact avec la source de courant électrique : vous vous électrocuteriez vous aussi !

• Coupez immédiatement le courant (débranchez l'appareil électrique à l'origine de l'accident ou, si l'enfant a mis les doigts dans une prise, précipitez-vous jusqu'au disjoncteur pour couper l'arrivée de courant).

• Eloignez l'enfant de la source de courant en le poussant ou en le tirant à l'aide d'un objet sec (manche de balai, serviette, torchon ou vêtement sec).

• Si le sol est mouillé, faites-vous un « gué » pour accéder à l'enfant tout en gardant vos pieds au sec. Des chaussures avec des semelles en caoutchouc sont un isolant idéal.

• Appelez ou faites appeler les secours (Samu-15 ou pompiers-18).

• Si l'enfant est en arrêt cardio-respiratoire, pratiquez alternativement la ventilation artificielle et le massage cardiaque externe (reportez-vous au chapitre sur l'*arrêt cardio-respiratoire*, page 76).

L'essentiel tout de suite...

En cas d'étouffement, procédez comme suit selon la situation :

Asphyxie par strangulation...

✓ Libérez l'enfant du lien qui enserre son cou.

✓ Téléphonez au Samu-15 ou aux pompiers-18.

✓ Si l'enfant ne respire plus, commencez la ventilation artificielle et, le cas échéant, le massage cardiaque (reportez-vous au chapitre sur l'*arrêt cardio-respiratoire*, page 76).

Asphyxie par inhalation d'un corps étranger (« fausse route »)...

✓ Si l'enfant tousse, ne faites rien. En revanche, si la petite victime ne tousse pas du tout, n'émet aucun son, ne respire plus, sachez qu'il s'agit d'une urgence vitale.

✓ Faites appeler le Samu-15 ou les pompiers-18. **En même temps,** pratiquez la manœuvre de Mofenson (voir page 118) si l'enfant a moins de 5 ans, ou la manœuvre de Heimlich (voir page 119) s'il est âgé de plus de 5 ans.

✓ En cas d'échec, refaites la manœuvre trois à quatre fois de suite. A la quatrième tentative, pratiquez l'autre manœuvre décrite.

✓ Si l'échec persiste malgré tout, et devant des signes d'arrêt cardio-respiratoire, débutez le massage cardiaque et la ventilation artificielle jusqu'au relais par les secours (référez-vous au chapitre sur l'*arrêt cardio-respiratoire*, page 76).

Comprendre

De l'asphyxie par strangulation à l'enfant qui avale de travers un aliment et ne peut plus respirer, les causes d'étouffement sont multiples et leurs conséquences parfois fatales.

Les parents doivent être informés des risques et connaître les gestes à effectuer. En cas d'étouffement, c'est la rapidité qui prime. Il faut agir vite, sans attendre l'arrivée des secours.

Réagir

▉ L'asphyxie par strangulation

Il s'agit de toutes les situations où un lien sert le cou de l'enfant et l'empêche de respirer.

Que faire ?

- Libérez l'enfant du lien qui enserre son cou. Si nécessaire, coupez le lien en prenant garde de ne pas blesser l'enfant.
- Téléphonez ou faites téléphoner aux secours (Samu-15 ou pompiers-18).
- Allongez l'enfant doucement en lui tenant la tête, puis évaluez rapidement son état.

Deux situations se présentent :

Il reprend immédiatement sa respiration, ses lèvres rosissent.

- L'enfant est parfaitement conscient et bouge normalement : un examen médical de contrôle est souhaitable.

Il ne respire pas, ne bouge pas, ses lèvres sont bleues.

- Vérifiez s'il existe des signes de vie (reportez-vous au chapitre sur l'*arrêt cardio-respiratoire*, page 76).
- Commencez la ventilation artificielle et, si besoin, le massage cardiaque (reportez-vous au chapitre sur l'*arrêt cardio-respiratoire*, page 76).

▉ L'asphyxie par inhalation d'un corps étranger (« fausse-route »)

Vous devez immédiatement soupçonner une « fausse-route » dans les cas suivants :

- Un enfant ou un nourrisson qui s'étouffe en « avalant de travers » un objet ou un aliment trop volumineux. L'objet ou l'aliment provoque une obstruction plus ou moins complète des voies respiratoires.

• Un enfant très agité, qui tousse, devient rouge.

ATTENTION ! Une « fausse-route » peut survenir lors d'un vomissement massif (reportez-vous à l'encadré page suivante).

Si l'enfant tousse, ne faites rien. En revanche, s'il ne tousse pas, devient bleu, respire mal ou plus du tout, il faut agir. Cette situation est rare, mais c'est l'urgence absolue. Si les manœuvres ne sont pas effectuées immédiatement, l'enfant risque de mourir dans les cinq minutes, ou de survivre avec de lourdes séquelles.

Quelques gestes de base, hélas trop peu connus du public, sauvent des vies. Leur enseignement devrait être généralisé. C'est la rapidité du geste qui importe ici. Quelles que soient l'efficacité et la diligence des secours, le temps passé à les attendre est toujours trop long et préjudiciable à l'enfant.

Toutes les manœuvres décrites ci-après ont pour but de faire sortir le corps étranger (jouet ou aliment) qui s'est coincé dans la gorge.

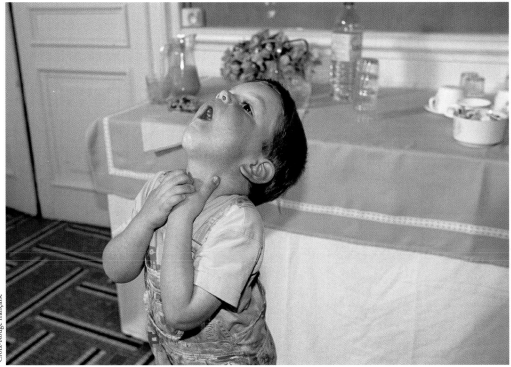

Croix-Rouge française

Que faire ?

• Ne paniquez pas : l'urgence est de libérer les voies respiratoires.

Deux situations sont possibles :

L'objet est bien visible et facile à extraire.

• Tentez calmement et prudemment de le retirer.

Les étouffements liés à un problème digestif

Un nourrisson peut s'étouffer lors d'un vomissement ou d'une régurgitation.

Que faire ?

Le nourrisson respire...

• Couchez l'enfant sur le côté, pour permettre l'évacuation du lait. En même temps, dégagez les voies respiratoires.

• Nettoyez l'intérieur de la bouche avec des compresses ou un gant humide.

• Nettoyez le nez obstrué par le lait à l'aide d'un coton humide roulé en mèches ou avec des Cotons-Tiges. Vous pouvez aussi utiliser un petit aspirateur bucco-nasal vendu en pharmacie. Son mode d'utilisation vous sera expliqué par le pharmacien. Certains comportent un tube et une poire aspirante, d'autres deux tubes.

• Agissez avec douceur et parlez calmement au bébé, afin de le rassurer.

Le nourrisson ne respire pas...

En cas d'arrêt respiratoire ou cardio-respiratoire :

• Dégagez bien les voies respiratoires (nez et bouche comme décrit ci-dessus) avant de commencer les manœuvres de réanimation. Sans quoi, elles ne seront guère efficaces.

• Débutez ensuite la ventilation artificielle et, si c'est nécessaire, le massage cardiaque (reportez-vous au chapitre sur l'*arrêt cardio-respiratoire*, page 76).

L'objet est coincé profondément.

Premier cas : l'enfant respire, il est rouge, il tousse. Le danger n'est pas immédiat.

- Laissez l'enfant en position assise.
- Appelez les secours et surveillez l'enfant.
- Ne tentez rien : ne le suspendez pas par les pieds, ne lui tapez pas dans le dos.
- Ne lui mettez pas les doigts dans la bouche.
- Ne lui faites rien boire.

Le corps étranger, de petite taille, va poursuivre sa route et se loger dans une bronche. L'enfant s'arrête alors de tousser et reprend sa respiration normalement. Toutefois, l'objet incriminé étant toujours là, la consultation médicale reste indispensable.

Second cas : l'enfant devient bleu autour des lèvres. Il ne tousse pas, n'émet aucun son, ne respire plus. C'est une urgence vitale

- Faites appeler les secours (Samu-15 ou pompiers-18). **En même temps,** pratiquez, selon le cas, l'une ou l'autre des manœuvres suivantes :

- Manœuvre de Mofenson avant 5 ans (voir page 118).
- Manœuvre de Heimlich au-delà de 5 ans (voir page 119).

- Refaites la manœuvre trois ou quatre fois de suite en cas d'échec. Attention : si la première manœuvre n'a pas réussi à la quatrième tentative, tentez l'autre manœuvre décrite.
- En cas d'échec persistant et devant des signes d'arrêt cardio-respiratoire, commencez le massage cardiaque et la ventilation bouche-à-bouche jusqu'au relais par les secours (référez-vous au chapitre sur l'*arrêt cardio-respiratoire*, page 76). Cependant, l'efficacité de la réanimation est faible si le corps étranger est complètement obstructif.

Si la manœuvre a réussi, l'objet est souvent projeté a l'extérieur. Si l'enfant a la bouche fermée et que ses dents demeurent serrées, vous pouvez tapoter sur les dents pour lui ouvrir la bouche. Le plus souvent, lorsque l'objet se décroche, l'enfant crie et l'objet tombe.

Une fois le corps étranger évacué et si l'état de l'enfant s'améliore (son teint est rose, il respire mieux), informez les secours de l'évolution favorable.

ETOUFFEMENTS

La manœuvre de Mofenson

Schéma 1

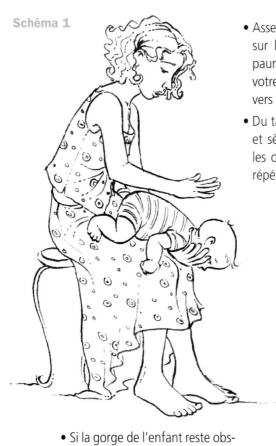

- Asseyez-vous sur une chaise, l'enfant posé sur le ventre et reposant sur votre main, paume ouverte. La main reste en appui sur votre cuisse. La tête de l'enfant est orientée vers le bas.

- Du talon de l'autre main, tapez rapidement et sèchement sur le dos de l'enfant, entre les omoplates (schéma 1). En cas d'échec, répétez la manœuvre.

Schéma 2

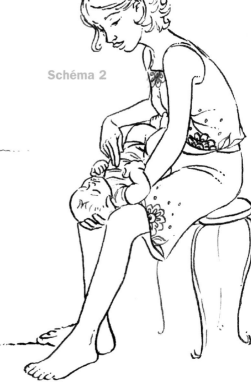

- Si la gorge de l'enfant reste obstruée, retournez l'enfant et mettez-le sur le dos. Inclinez sa tête vers le bas.

- De votre main libre, exercez quatre pressions rapides avec deux doigts sur le sternum (schéma 2).

En cas d'échec, tentez une manœuvre de Heimlich.

La manœuvre de Heimlich

Son principe : une pression sur le sternum afin de provoquer l'expulsion de l'objet qui obstrue les voies respiratoires.

• Placez-vous derrière l'enfant, entourez-le de vos bras à la hauteur de l'estomac (région comprise entre le bas du thorax et le nombril).

• Fermez l'une de vos mains et placez le poing juste au-dessus du nombril.

• Entourez votre poing fermé de votre autre main, et tirez fermement vers vous en remontant légèrement (schéma 3).

Schéma 3

L'essentiel tout de suite...

Le traumatisme ne semble pas trop grave

✔ Immobilisez le membre blessé.

✔ Placez sur la zone douloureuse un sac rempli de glaçons (sauf en cas de fracture ouverte).

✔ Ne donnez rien à boire ni à manger à l'enfant.

✔ Conduisez-le aux urgences de l'hôpital le plus proche.

Le traumatisme semble grave

✔ Téléphonez immédiatement au Samu-15 ou aux pompiers-18, décrivez le traumatisme et suivez leurs indications.

✔ Respectez bien la règle des « NE PAS » :

– **NE PAS** déplacer l'enfant, sauf en cas de danger immédiat.

– **NE PAS** bouger le membre fracturé

– **NE PAS** tenter de réduire soi-même la fracture.

Comprendre

L'entorse est une lésion des ligaments qui relient les os entre eux au niveau des articulations. La zone touchée est douloureuse et gonfle rapidement. Elle peut s'accompagner dans certains cas d'une décoloration de la peau.

La luxation se produit lorsqu'un os se déboîte, par exemple à la suite d'un choc brutal. Le membre est déformé, la douleur est très vive et s'accompagne d'un œdème important.

Les fractures résultent souvent de chutes ou de coups violents. On distingue les fractures fermées des fractures ouvertes (l'os, en se brisant, a transpercé la peau).

En cas de fracture ouverte, le risque infectieux est important et doit être pris en compte.

Lors d'une fracture, le maître mot est « immobilisation », à l'aide d'une écharpe pour les membres supérieurs et d'une attelle pour les membres inférieurs.

Croix-Rouge française

Reconnaître les signes

- L'enfant se plaint d'une douleur vive après un coup, une chute ou un faux mouvement.

- Le membre blessé est gonflé ou déformé. L'enfant éprouve des difficultés pour le bouger ou n'y parvient pas.

Réagir

Votre premier réflexe doit être d'évaluer la situation.

■ Traumatisme simple

Si le traumatisme ne vous semble pas trop grave, vous pouvez conduire l'enfant vous-même aux urgences. Au préalable, prenez les précautions suivantes :

- Ne lui donnez rien à boire ou à manger (une anesthésie peut être nécessaire).

- Enlevez tout de suite chaussures et chaussettes (voire bagues, montre et bijoux pour les plus grands).

- Mettez un petit sac de glace, enveloppé dans un linge, sur le membre blessé (le froid provoque la constriction des vaisseaux et limite l'hématome), sauf s'il s'agit d'une fracture ouverte.
- Immobilisez le membre blessé.

Si l'atteinte siège au membre inférieur :

- Ne faites pas marcher l'enfant et attendez les secours.
- Si vous êtes isolé (et uniquement dans ce cas-là), improvisez une attelle provisoire, avec deux bâtons ou deux planchettes de bois par exemple. Installez-les de chaque côté du membre blessé. Fixez-les à l'aide d'un bandage pas trop serré (reportez-vous au schéma 1).

Schéma 1

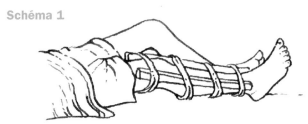

Si l'atteinte siège au membre supérieur :

- Immobilisez le membre blessé, coude fléchi, avec une écharpe ou les deux manches d'un vêtement retourné, attachées derrière le cou (reportez-vous au schéma 2).

Schéma 2

Croix-Rouge française

■ Traumatisme grave

- Téléphonez immédiatement aux secours (Samu-15 ou pompiers-18).

- Décrivez le plus précisément possible l'aspect du traumatisme et suivez les conseils des médecins.

- Respectez bien la règle des « NE PAS » :

> – **NE PAS** déplacer l'enfant, sauf en cas de danger immédiat.
>
> – **NE PAS** bouger le membre fracturé.
>
> – **NE PAS** tenter de réduire soi-même la fracture.

- Si l'os est saillant (fracture ouverte), recouvrez-le d'un tissu propre et humide.

- Si la plaie saigne beaucoup, appliquez dessus un gros paquet de compresses ou un linge propre. Comprimez doucement, mais suffisamment longtemps pour arrêter le saignement (reportez-vous au chapitre sur les *hémorragies*, page 127).

L'essentiel tout de suite...

En cas d'hémorragie, procédez comme suit :

Pour une hémorragie abondante…

✔ Appelez ou faites appeler le Samu-15.

✔ Allongez la petite victime.

✔ Surélevez ses pieds et ses jambes.

✔ Tentez d'arrêter l'hémorragie. Appuyez directement sur l'endroit qui saigne avec les doigts ou la paume de la main protégés éventuellement d'un linge propre, puis:

  – Si la plaie est localisée au bras ou à la jambe, réalisez un pansement serré après avoir posé sur la plaie des compresses ou un linge propre.

  – S'il s'agit d'une plaie abdominale ou thoracique, comprimez la plaie à l'endroit exact du saignement avec un paquet de compresses ou un linge propre plié.

✔ Maintenez la compression manuelle jusqu'à l'arrivée des secours.

Pour une hémorragie interne…

✔ Contactez le Samu-15.

✔ Ne donnez ni à boire ni à manger à l'enfant.

✔ Surélevez ses jambes.

Comprendre

Il s'agit de tous les cas où des vaisseaux sont lésés et laissent le sang couler en abondance hors du réseau sanguin. Ces hémorragies sont d'autant plus graves qu'elles touchent des vaisseaux à gros débit (veine importante ou, pire, artère) ou qu'elles passent inaperçues (hémorragie interne).

Réagir

■ Les hémorragies abondantes

• Appuyez sur la plaie avec les doigts ou la paume de la main.

• Allongez l'enfant.

Croix-Rouge française

- Appelez ou faites appeler les secours (Samu-15).
- Surélevez ses pieds et ses jambes.
- Surveillez son état de conscience et ses constantes vitales (reportez-vous au chapitre sur l'*arrêt cardio-respiratoire*, page 76).

ATTENTION ! Il est fondamental d'arrêter l'hémorragie. La compression manuelle prolongée est indispensable en attendant les secours, car il faut à tout prix limiter la perte sanguine.

Comment arrêter une hémorragie ?

Plaie du bras ou de la jambe :

- Appuyez directement sur l'endroit qui saigne avec la main.
- Réalisez un pansement serré, sans faire de garrot, avec des bandes de gaze (ou, sinon, avec un rouleau de bande Velpeau). Notez que si vous n'avez rien, vous pouvez aussi déchirer un linge propre, un vêtement ou un drap… ou tout autre tissu susceptible d'être utilisé comme bandage !

Plaie abdominale ou thoracique :

- **COMPRIMEZ LA PLAIE AVEC LA MAIN,** puis repérez l'endroit exact du saignement. Relayez votre compression à l'aide d'un paquet de compresses ou d'un linge propre plié pour faire un gros tampon. Ne relâchez pas la pression avant l'arrivée des secours.

■ Les hémorragies internes

Un enfant peut sembler indemne à la suite d'un accident, alors qu'un organe ou des vaisseaux sont fragilisés à l'intérieur du corps. L'hémorragie passera donc, dans un premier temps, inaperçue.

Comment reconnaître une hémorragie interne ?

Certains signes doivent vous alerter :

- Pâleur du visage, et surtout des muqueuses (conjonctive) et des ongles. Les lèvres peuvent devenir violacées.
- Signes de faiblesse (vertige, malaise, soif).
- Accélération du pouls (rapide, mais faible) et de la respiration.
- Sueurs froides, frissons.

L'HÉMORRAGIE INTERNE REPRÉSENTE UNE URGENCE ABSOLUE !

Que faire ?

- Contactez le Samu-15.
- En attendant les secours :
  - Ne donnez ni boisson, ni aliment à l'enfant.
  - Allongez-le sur le dos **SANS LE DÉPLACER** si le choc a porté sur le rachis, le cou, la tête ou le thorax. S'il vomit, tournez-lui très doucement la tête sur le côté.
  - Assurez-vous qu'il n'a pas froid. Le cas échéant, posez une couverture ou un vêtement chaud sur lui.
  - Surélevez ses jambes (placez un coussin ou un tas de vêtements sous ses genoux), afin que les organes vitaux continuent d'être irrigués convenablement.

L'essentiel tout de suite...

En cas d'intoxication, procédez comme suit :

✔ Alertez en urgence le centre antipoison le plus proche de chez vous ou le Samu-15.

✔ Suivez scrupuleusement les instructions qui vous seront données.

✔ Respectez impérativement la règle des « NE PAS » :

- **NE PAS** faire boire (surtout pas de lait).
- **NE PAS** faire vomir.
- **NE PAS** procéder à un lavage gastrique.
- **NE PAS** administrer de pansement gastrique.

Comprendre

L'intoxication est un accident encore trop fréquent. Cent mille enfants en sont victimes chaque année en France. Dans 85 % des cas, il s'agit d'un enfant de moins de 5 ans. Les sources d'intoxication sont nombreuses, tant à la maison qu'à l'extérieur.

Les substances le plus souvent incriminées chez l'enfant sont les médicaments (55 %). Viennent ensuite les produits ménagers (25 %), les solvants pétroliers à usage domestique (10 %) et les cosmétiques (6 %). Les autres causes sont plus rares, mais parfois extrêmement graves : monoxyde de carbone, pesticides, herbicides…

Dans la majorité des cas, les intoxications surviennent en présence des parents, qui doivent contacter immédiatement le centre antipoison (voir encadré page 132) ou le Samu-15. La plupart du temps, les conseils prodigués par téléphone suffisent : l'intervention des secours n'est pas nécessaire et l'enfant reste à son domicile.

Toutefois, si l'intoxication s'est produite à l'insu des parents, il faut y penser devant l'apparition de signes inhabituels.

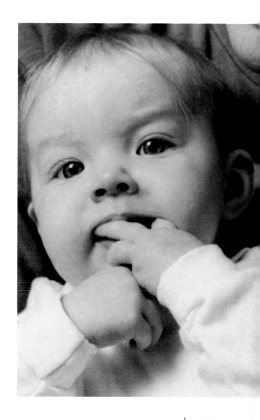

Croix-Rouge française

A NOTER

Les centres régionaux antipoisons

Angers : 02 41 48 21 21
Bordeaux : 05 56 96 40 80
Lille : 0 825 812 822
Lyon : 04 72 11 69 11
Marseille : 04 91 75 25 25
Nancy : 03 83 32 36 36
Paris : 01 40 05 48 48
Rennes : 02 99 59 22 22
Rouen : 02 35 88 44 00
Strasbourg : 03 88 37 37 37
Toulouse : 05 61 77 74 47
Tours : 02 41 48 21 21

Reconnaître les signes

Certains signes doivent vous alerter :

• Votre enfant change de comportement alors qu'il allait très bien, s'endort, somnole à une heure inhabituelle.

• Il perd conscience ou est pris de convulsions.

• Il ne marche pas droit, se met à zigzaguer, tombe.

• Il salive beaucoup, vomit brutalement, ou encore se plaint de nausées ou de douleurs abdominales violentes.

• Il est agité, a le visage tout rouge, le regard fixe et semble en proie à des hallucinations.

Réagir

• Contactez le centre antipoison de votre région (voir ci-contre) ou le Samu-15. Ils vous donneront des conseils adaptés à la situation et se déplaceront si nécessaire.

• Dans tous les cas, appliquez la règle des « NE PAS » :

> – **NE PAS** faire boire.
> – **NE PAS** faire vomir.
> – **NE PAS** administrer de pansements gastriques.

Ensuite :

• Essayez de retrouver le produit responsable (lire page suivante *Les différents cas*) et de déterminer l'heure de l'intoxication.

• Evaluez l'état de l'enfant. S'il s'aggrave rapidement et s'accompagne d'un arrêt cardio-respiratoire (ce qui est rarissime), commencez immédiatement les manœuvres de réanimation (reportez-vous aux pages 83, 84 et 85) en attendant les secours. Si l'enfant est conscient, mais que l'intoxication est jugée sévère, agissez selon les conseils du centre antipoison ou du Samu-15.

• Rassurez l'enfant.

• Surveillez ses fonctions vitales :

– Respiration : coloration des lèvres, rythme respiratoire par minute (se référer aux constantes indiquées dans le chapitre sur l'***arrêt cardio-respiratoire***, page 76).

– Fréquence cardiaque (prenez le pouls et comptez les battements par minute). Nourrisson : 100 battements par minute. Enfant : au-dessus de 60 battements par minute.

– Etat de conscience (bien conscient, somnolent ou agité).

Les différents cas

Quel que soit le produit ingéré, contactez IMMÉDIATEMENT le centre antipoison régional ou le Samu-15.

◼ **Les médicaments**

• Contactez le centre antipoison régional ou le Samu-15, et agissez en fonction de leurs recommandations.

• Appliquez la règle des « NE PAS » :

> – **NE PAS** faire boire (et jamais de lait !).
>
> – **NE PAS** faire vomir.
>
> – **NE PAS** administrer de pansements gastriques.

Certains médicaments provoquent des fièvres élevées. Si l'enfant paraît avoir chaud, prenez sa température.

▉ Les produits ménagers et les solvants

• Une fois encore, appliquez la règle des « NE PAS » (voir section précédente).

• Vérifiez que l'enfant est conscient et qu'il respire facilement.

• Nettoyez sa bouche avec des compresses sèches.

En cas de projection oculaire :

• Lavez les yeux à l'eau claire pendant au moins vingt minutes.

• Signalez la projection aux secouristes qui programmeront une consultation ophtalmologique.

En cas de projection cutanée :

• Un lavage abondant immédiat de la zone atteinte et un déshabillage sous l'eau, si nécessaire, sera réalisé. Il devra durer au moins vingt minutes.

• Si votre enfant a renversé le toxique sur lui, changez ses vêtements et lavez immédiatement les zones contaminées à l'eau.

• Surveillez sa respiration (coloration et rythme respiratoire), son rythme cardiaque et son état de conscience.

• Rassurez l'enfant.

Le tabac aussi !

Les cigarettes et mégots mâchés par les petits enfants entraînent une intoxication à la nicotine. Ne laissez pas traîner vos cendriers !

Le white-spirit souvent en cause

Si votre enfant a bu ou respiré des vapeurs toxiques de white-spirit, on peut craindre des troubles respiratoires et neurologiques.

Que faire ?

• Dans tous les cas, contactez le centre antipoison régional ou le Samu-15. Si la gêne respiratoire est immédiate, appelez en priorité le Samu-15.

Les signes d'une gêne respiratoire sont une respiration anormalement rapide, une toux fréquente, des lèvres qui bleuissent.

Les troubles neurologiques se manifestent par une somnolence, voire un coma, des troubles de l'équilibre ou des convulsions.

En attendant l'arrivée des secours :

• Eloignez le toxique (refermez la bou- teille ou enlevez l'enfant de la zone contaminée).

• Ouvrez la fenêtre.

• Si votre enfant a renversé le toxique sur lui, changez ses vêtements et lavez immédiatement les zones contaminées à l'eau.

• Surveillez sa respiration (coloration et rythme respiratoire), son rythme cardiaque et son état de conscience.

• Rassurez l'enfant.

ATTENTION ! *Même s'il ne provoque sur le coup aucune gêne respiratoire, le white-spirit entraîne parfois une détresse respiratoire retardée, qui peut se compliquer d'une infection pulmonaire. Dans ce cas, agissez comme précédemment et conduisez l'enfant aux urgences, même s'il semble aller très bien.*

■ Intoxication à l'alcool

L'intoxication à l'alcool est un cas rare, mais grave. Les produits en cause peuvent être tout aussi bien vos bouteilles d'apéritif... que vos parfums ou vos lotions de toilette !

Quand soupçonner une intoxication à l'alcool ?

Devant un enfant qui sombre brutalement dans le coma (en particulier au moment des fêtes…), il faut y songer. Il n'est pas rare, en effet, que les enfants s'amusent à finir les fonds des verres.

Autre cause : les produits cosmétiques. Certains, comme les eaux de toilettes, contiennent 40 à 80 % d'alcool. Les flacons sont souvent de taille modeste, mais si votre enfant boit toute la bouteille, le risque d'intoxication aiguë n'est pas négligeable. Ses conséquences : un coma, une hypothermie et une hypoglycémie profonde.

Que faire ?

- Appelez le Samu-15 ou le centre antipoison.
- Surveillez les constantes vitales de l'enfant.

■ Intoxication au monoxyde de carbone

Les cheminées, les poêles, les chaudières, les chauffe-eau défectueux sont responsables d'intoxications au monoxyde de carbone. Ce type d'accident atteint généralement toute la famille, qui est soumise au même air vicié.

L'enfant se plaint de maux de tête, de fatigue, a du mal à se tenir debout, vomit, voire sombre dans le coma.

Que faire ?

- Ouvrez les fenêtres.
- Arrêtez la source de l'intoxication.
- Appelez les secours (Samu-15 ou pompiers-18).

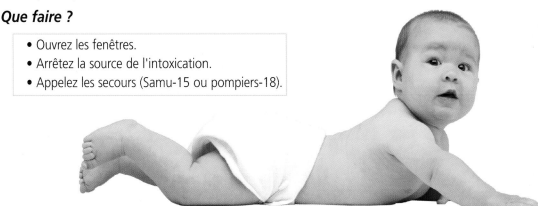

INTOXICATIONS

■ Intoxication aux végétaux

L'intoxication aux végétaux est assez rare. Elle représente 4 % des intoxications.

Les plantes d'intérieur et d'extérieur sont souvent toxiques. Par précaution, interdisez à vos enfants, dès leur plus jeune âge, de les toucher. *A fortiori*, veillez à ce qu'ils ne mettent jamais de fleurs ou de feuilles dans leur bouche.

Les signes d'intoxication vont varier selon le poison qu'elles contiennent.

Pour connaître les principales plantes toxiques, reportez-vous à la partie *prévention* de cet ouvrage (page 57).

Que faire ?

Si vous soupçonnez votre enfant d'avoir mangé une plante toxique :

- Appelez le centre antipoison et décrivez la plante concernée.
- Conduisez l'enfant aux urgences, en apportant les feuilles, fleurs ou baies incriminées.

Les dangers des produits ménagers

Certains produits ménagers contiennent des agents corrosifs ou caustiques. La gravité des atteintes est liée à la quantité absorbée (souvent faible chez l'enfant), à la nature du produit (basique, acide ou oxydant) et à sa présentation (liquide concentré ou dilué, solide, en pastilles ou en paillettes).

■ Dégâts selon la consistance du produit

Si le produit est sous forme solide...

Les caustiques solides (comprimés d'eau de Javel, paillettes de soude, poudre de lave-vaisselle) provoquent plus volontiers des lésions profondes, localisées dans la bouche, la gorge et l'arrière-gorge.

Si le produit est sous forme liquide...

Les lésions seront étagées et suivront le trajet de l'absorption, tout au long du tube digestif. Leur gravité dépend de la quantité absorbée, du degré de concentration du produit et de sa nature acide ou basique. Les produits dilués sont les moins dangereux, alors choisissez-les !

■ Dégâts selon la nature du toxique

Les produits basiques (pH supérieur à 7)

L'ammoniaque (détergent ménager, décapant pour peinture), la soude et la potasse (déboucheur de canalisations, décapant de four) sont des produits basiques.

Ils entraînent des brûlures profondes et rongent la paroi de l'œsophage. Résultat : des lésions ou des perforations de l'œsophage dont la principale séquelle est un rétrécissement du conduit œsophagien.

Ce type de lésions nécessite souvent une hospitalisation prolongée, ainsi qu'une intervention chirurgicale pour dilater l'œsophage et lui donner un diamètre compatible avec une alimentation normale.

Autre type de conséquences : les atteintes respiratoires. La respiration de vapeurs d'ammoniaque peut provoquer une gêne, voire une asphyxie par œdème de la gorge. On peut aussi constater des lésions des poumons.

Les produits acides

L'acide chlorhydrique (détartrant W.-C.), l'acide sulfurique et l'acide nitrique (nettoyant à métaux) sont des acides forts. Ils sont à l'origine de brûlures plus ou moins profondes.

Les oxydants

Les dégâts liés à un oxydant, comme l'eau de Javel, dépendent de la concentration du produit ingéré. Le danger devient réel lorsque la concentration de chlore est supérieure à 12° (la chlorométrie de l'eau de Javel concentrée atteint 48 °).

ATTENTION ! *Il ne faut jamais mélanger d'eau de Javel avec de l'ammoniaque ou des produits qui en contiennent (notamment les produits W.-C.) en raison du dégagement très nocif de chlore qui peut alors se produire.*

L'essentiel tout de suite...

En cas de membre ou de doigt sectionné, procédez comme suit :

✔ Appuyez sur l'endroit qui saigne (voir aussi page 127).

✔ Conservez le morceau coupé dans un petit linge propre (pas de coton !).

✔ Glissez-le dans un sac plastique, enveloppez le sac d'un linge propre et placez le tout dans une poche de glaçons ou un sachet réfrigérant.

✔ Réalisez ensuite un pansement compressif sur le moignon.

✔ Téléphonez au Samu-15 qui vous dirigera vers un centre SOS Mains.

Comprendre

De la moins grave (section d'un doigt) à la plus grave (membre arraché), ces accidents sont, le plus souvent, la conséquence de l'utilisation d'un matériel dangereux en l'absence d'un adulte (hachoir, robot, tondeuse, etc.). **C'est l'occasion de redire ici combien l'accès à la cuisine, au garage ou à la grange doit être restreint.**

Réagir

• Appuyez avec la main sur l'endroit qui saigne. Restez calme et rassurez l'enfant. Expliquez-lui, tout en le soignant, qu'on va lui recoudre le membre ou le doigt.

• Contactez les secours (Samu-15).

• Réalisez un pansement compressif, sans faire de garrot, tout autour du moignon (assez serré pour que l'hémorragie cesse, mais pas trop afin que le sang continue

d'irriguer le moignon). Le pansement doit être suffisamment important et remonter du moignon jusqu'à l'extrémité supérieure du membre sectionné.

- Récupérez le membre ou le doigt sectionné, enveloppez-le dans un linge très propre ou une compresse stérile et placez le tout dans un sac en plastique assez épais (type sac poubelle).

- Posez le sachet sur une source réfrigérante (packs réfrigérants utilisés dans les glacières ou, si vous n'en avez pas, glaçons mis dans un sac en plastique hermétique et bien épais). Couvrez le tout d'un linge, pour servir d'isolant. Retournez souvent le sachet pour éviter les gelures.

- Suivez les instructions des secouristes.

L'essentiel tout de suite...

En cas de noyade, procédez comme suit :

✔ Vérifiez l'état de la petite victime (pouls, respiration).

✔ Appelez ou faites appeler le Samu-15 ou les pompiers-18.

✔ En absence de signes de vie, pratiquez alternativement le massage cardiaque externe et la ventilation artificielle (reportez-vous au chapitre sur l'*arrêt cardio-respiratoire*, page 76).

✔ Ne vous interrompez pas avant l'arrivée des secours tant que l'enfant n'a pas récupéré.

Comprendre

La noyade est un accident très fréquent et particulièrement grave chez l'enfant. Elle survient le plus souvent au domicile ou à proximité de celui-ci, et touche surtout les nourrissons et les enfants de moins de 5 ans (lire page 65).

Cet accident est d'autant plus grave chez les tout-petits que ces derniers, lorsqu'ils ont la tête sous l'eau, ouvrent la bouche pour respirer. L'arrivée de l'eau dans les voies respiratoires entraîne un spasme momentané, suivi d'une réouverture des voies respiratoires et d'une inondation des poumons. L'asphyxie est alors extrêmement rapide.

Elle se manifeste par une perte de connaissance, liée au manque d'oxygénation du cerveau, puis par un arrêt cardio-respiratoire.

Réagir

Deux cas peuvent se présenter.

L'enfant est conscient et suffoque :

• Appelez appeler le Samu-15 ou les pompiers-18.

• Mettez l'enfant à plat ventre sur vos genoux.

• Appuyez sur le bas du dos de l'enfant, sous les côtes. Comme l'enfant est sur vos genoux, cette pression comprime l'estomac et le vide.

• Allongez-le ensuite en position latérale de sécurité (schéma 1).

• Enlevez les vêtements mouillés et enveloppez l'enfant dans une couverture. Le réchauffement doit être très progressif, car l'hypothermie (faible température corporelle) protège le cerveau.

L'enfant est inconscient :

• Vérifiez sa respiration.

• Appelez à l'aide autour de vous et demandez que l'on contacte les secours (Samu-15 ou pompiers-18).

• Si l'enfant respire, placez-le sur vos genoux, à plat ventre.

• Comprimez-lui le bas du dos à trois ou quatre reprises pour évacuer l'eau de l'estomac.

• Allongez-le ensuite en position latérale de sécurité (schéma 1).

• S'il est en arrêt cardio-respiratoire, commencez la ventilation artificielle et le massage cardiaque externe (reportez-vous au chapitre sur l'*arrêt cardio-respiratoire*, page 76).

ATTENTION ! Si l'enfant, ne récupère pas continuez la ventilation artificielle et le massage cardiaque externe jusqu'à l'arrivée des secours : la récupération est possible, même après un délai prolongé d'arrêt cardio-respiratoire.

• Enlevez les vêtements mouillés, séchez l'enfant et enveloppez-le dans une couverture.

La position latérale de sécurité

• Si l'enfant respire, allongez-le sur le côté, la tête légèrement en arrière et la bouche tournée vers le sol.
• Assurez-vous qu'aucun corps étranger n'obstrue les voies aériennes supérieures et, le cas échéant, dégagez-les.
• La stabilité de la position est assurée par les bras, allongés perpendiculairement au corps, et par les jambes, repliées et écartées.

Schéma 1

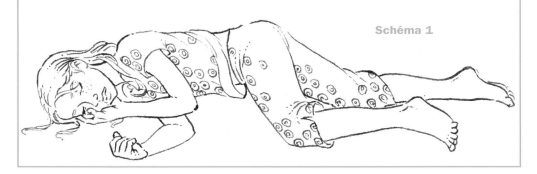

L'essentiel tout de suite...

En cas de traumatisme du dos, de la nuque ou de la tête, procédez comme suit :

✔ Ne déplacez pas l'enfant, évitez toute manipulation.

✔ Appelez les secours (Samu-15 ou pompiers-18).

✔ Stabilisez la tête et le cou de l'enfant dans la position où il était lors de l'accident, sans le bouger.

✔ Placez sur lui une couverture ou un vêtement chaud en attendant les secours.

Comprendre

Il s'agit de toutes les atteintes, visibles ou invisibles, de la tête, de la nuque ou du rachis (colonne vertébrale).

ATTENTION ! Des lésions crâniennes ou vertébrales peuvent passer inaperçues. Dans ce cas, bouger l'enfant ou le changer de position risque de provoquer des atteintes graves du cerveau ou de la moelle épinière, pouvant entraîner des séquelles importantes, comme une paralysie.

Dans la mesure du possible, abstenez-vous de déplacer la victime et évitez les manipulations.

Reconnaître les signes

• Après une chute, un choc violent ou un accident, l'enfant est étendu sur le sol et ne parvient plus à bouger.

• Il se plaint d'une douleur vive au niveau du dos, de la tête ou de la nuque.

Réagir

• Ne déplacez en aucun cas la petite victime, sauf en cas de danger immédiat (par exemple pour la protéger d'une explosion).

TRAUMATISMES DU DOS, DE LA NUQUE OU DE LA TÊTE

- Appelez le Samu-15 ou les pompiers-18.

- Demandez à l'enfant de ne pas bouger.

- Stabilisez la tête et le cou de la victime dans la position où elle était lors de l'accident. Placez, le cas échéant, vos deux mains le long de son cou, des deux côtés de la tête, comme si c'était une « attelle », pour bien maintenir les cervicales.

- Réchauffez l'enfant en plaçant sur lui une couverture ou un vêtement chaud.

- Parlez-lui régulièrement pour le rassurer jusqu'à l'arrivée des secours..

Sommaire
Urgences médicales

Partie **3**

Urgences médicales

BRONCHIOLITE

L'essentiel tout de suite...

En cas de bronchiolite, procédez comme suit :

✔ Consultez rapidement le médecin.

✔ Si le bébé a moins de trois mois, il est préférable de l'hospitaliser.

✔ S'il est plus âgé, l'hospitalisation dépendra de son état de santé et de la forme de sa bronchiolite.

Comprendre

La bronchiolite est une maladie respiratoire virale qui affecte les nourrissons et même les nouveau-nés. Elle peut être responsable d'une détresse respiratoire grave.

La maladie évolue par épidémies saisonnières, en général au début de l'automne et en hiver. Plus l'enfant est petit, plus la bronchiolite est dangereuse pour lui.

Reconnaître les signes

La bronchiolite peut se manifester sous une forme «sèche» ou sous une forme «humide», dite hypersécrétante. Cette dernière est plus grave.

■ La forme sèche

Au début, l'enfant a le nez qui coule et un peu de fièvre. Ensuite (le plus souvent dans les vingt-quatre à quarante-huit heures), sa respiration se modifie, devient plus rapide et l'enfant se met à tousser. Sa toux est sèche et survient par quintes successives. Lors des expirations, on entend des sifflements. La difficulté respiratoire gêne la tétée. L'enfant a du mal à boire. Il peut aussi vomir à cause de la toux.

La forme humide

Elle débute de la même manière que la forme précédente, mais la toux est grasse et glaireuse. Les sécrétions encombrent les poumons. Le bébé n'arrive pas à expectorer.

La gêne respiratoire est telle que l'enfant s'épuise. Sa respiration devient irrégulière. Il fait parfois des pauses respiratoires. Le sang n'est plus assez oxygéné, l'enfant bleuit. Dans certains cas graves, l'infection virale se propage au cerveau ou au cœur.

Réagir

La première arme est la prévention :

• Si possible, allaitez votre enfant. Protégé par vos anticorps pendant les premiers mois de sa vie, bébé aura moins de risques de souffrir d'une bronchiolite.

• Evitez de le faire garder en collectivité.

• Ne fumez pas et n'exposez pas bébé à la fumée des autres. Cette précaution est valable dès la grossesse.

• Ne laissez pas les personnes enrhumées entrer dans sa chambre. Un éternuement suffit à contaminer la pièce.

Si votre enfant présente des signes de bronchiolite :

• Consultez rapidement le médecin.

• Si le bébé a moins de 3 mois, il est préférable de l'hospitaliser.

• S'il est plus âgé, cela dépendra de son état et de la forme de sa bronchiolite.

Le traitement comporte des médicaments (Ventoline® et Célestène®) et, si la toux est grasse ou que l'enfant est très « encombré », de la kinésithérapie respiratoire.

Ces manipulations permettent d'aider l'enfant à expectorer et à libérer ses bronches du mucus qui les encombre.

Conséquence à long terme : l'asthme

Les enfants dont l'un des parents est allergique et qui ont souffert de plusieurs bronchiolites entre la naissance et l'âge de 18 mois, risquent de devenir asthmatiques. En général, ces enfants ont également tendance à tousser souvent ou à faire de l'eczéma.

L'essentiel tout de suite...

En cas de convulsions, procédez comme suit :

✓ Allongez l'enfant sur le côté (position latérale de sécurité, voir page 139).

✓ Appelez votre médecin ou, s'il ne peut pas se déplacer rapidement, contactez le Samu-15.

✓ Prenez sa température.

Si l'enfant a de la fièvre, faites baisser sa température...

✓ Déshabillez-le.

✓ Administrez à l'enfant un suppositoire de Doliprane® (surtout pas de comprimé par voie orale !).

✓ Utilisez les moyens physiques à votre disposition (linges humides, packs réfrigérés enveloppés dans un tissu) pour faire baisser sa température (reportez-vous au chapitre sur la *fièvre*, page 169).

Ensuite...

✓ Donnez à l'enfant du Valium® en intrarectal (par l'anus). Ce traitement fait en principe rapidement cesser les convulsions.

Comprendre

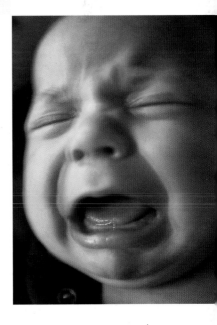

La très grande majorité des convulsions de l'enfant sont dues à la fièvre. C'est un incident fréquent et généralement bénin. Chaque année, environ 60 000 enfants présentent une crise convulsive fébrile en France. Malgré leur caractère impressionnant, les convulsions fébriles sont le plus souvent sans gravité.

Ce type de convulsions atteint avec prédilection les enfants de 6 mois à 3 ans, mais peut concerner, bien que plus rarement, l'enfant jusqu'à 5 ans. Les convulsions sont déclenchées par la fièvre. Dans les premières années de la vie, le cerveau est en effet plus sensible aux élévations de température et les supporte moins bien. C'est pourquoi il faut traiter la fièvre dès qu'elle dépasse 38,5 °C.

CONVULSIONS

TROISIÈME PARTIE - URGENCES MÉDICALES

Convulsions du nourrisson : éliminer le diagnostic de méningite

La méningite (infection des méninges) se manifeste par de la fièvre et des indices d'irritation et de souffrance du cerveau, comme les convulsions. Le diagnostic de méningite nécessite une ponction lombaire. Chez le nourrisson, entre 1 mois et 1 an, la maladie est difficile à reconnaître au début (le signe caractéristique de la méningite – la raideur de la nuque – est délicat à dépister). Aussi la ponction lombaire sera-t-elle pratiquée systématiquement pour vérifier le diagnostic. Après 1 an, en revanche, la ponction ne sera réalisée qu'en présence de signes évocateurs de méningite.

Les convulsions fébriles entraînent, dans la plupart des cas, une crise généralisée. En principe, la crise dure moins de trois minutes et ne survient qu'une seule fois en vingt-quatre heures.

Hormis les convulsions déclenchées par la fièvre, il existe de nombreux autres types de convulsions, qui nécessitent des investigations plus spécialisées. Elles sont habituellement d'origine métabolique ou neurologique, et sont beaucoup moins fréquentes que les convulsions fébriles.

Les convulsions sont un symptôme, c'est-à-dire un signe qui accompagne une maladie, et non une maladie à part entière. Elles traduisent une souffrance du cerveau.

Elles ne sont pas toujours faciles à déceler. D'ailleurs, les parents assistent parfois angoissés à ces crises, sans pour autant les reconnaître.

IMPORTANT ! La crise convulsive est très impressionnante, même pour les parents bien informés. Mais elle est le plus souvent sans gravité (convulsions fébriles) et se résorbe spontanément.

Reconnaître les signes

La forme la plus spectaculaire est la crise convulsive généralisée :

- Le corps est secoué par des tremblements et des mouvements saccadés des bras et des jambes. Les secousses sont rythmiques et régulières. Elles s'accompagnent d'une perte de connaissance avec chute.

- Parfois, un seul membre (ou un seul côté) présente des mouvements convulsifs, ou encore une partie du visage (clignement répétitif de l'œil, crispation de la bouche…).

- Après la crise, l'enfant est inconscient, sa respiration bruyante. Il peut présenter de la bave à la commissure des lèvres (salive qui n'a pas été avalée) et avoir uriné sur lui (ce signe est symptomatique de la crise convulsive quand l'enfant est habituellement propre).

Si la crise est passée inaperçue et que l'on retrouve l'enfant dans cet état, il y a tout lieu de penser qu'il a fait, sans qu'on

154 | LE GUIDE DES URGENCES DE L'ENFANT ET DU NOURRISSON

s'en aperçoive, des convulsions. Son hébétude du moment n'est alors que la résolution de la crise. Il faut en chercher la cause, afin d'éviter une récidive.

La durée des convulsions est variable, mais elle est le plus souvent brève (moins de trois minutes). Si la crise dure plus de trente minutes, ou récidive sans cesse, il s'agit d'un « état de mal convulsif », forme grave de convulsions.

Réagir

Vous devez d'abord vous assurer qu'il s'agit bien de convulsions et non de trémulations ou de tremblements. Pour cela :

- Saisissez et bloquez le membre qui présente des mouvements anormaux. S'il s'arrête instantanément de bouger, il s'agit seulement de tremblements ou de trémulations. Si vous percevez des saccades, des secousses ou des décharges musculaires, il s'agit de convulsions.

Si ce sont bien des convulsions…

- Gardez votre calme.

- Allongez l'enfant sur le côté (position latérale de sécurité, voir page 139) pour éviter que sa langue ne bascule en arrière, gêne la respiration et que l'enfant ne fasse une « fausse-route ». Ne mettez surtout pas vos doigts dans sa bouche.

- Appelez votre médecin. S'il ne peut pas se déplacer rapidement, contactez le Samu-15.

- Surveillez la coloration de la peau et la respiration de l'enfant.

- Prenez sa température.

- Notez l'heure du début de la crise.

Ensuite…

- Si l'enfant a de la fièvre, faites baisser sa température :

  – Déshabillez-le.

  – Administrez à l'enfant un suppositoire de Doliprane® (surtout pas de comprimé par voie orale, car il pourrait s'étouffer !).

  – Utilisez les moyens physiques à votre disposition (linges humides, packs réfrigérés enveloppés dans un tissu) pour faire baisser sa température (reportez-vous au chapitre sur la *fièvre*, page 169). Cependant, ne mettez pas l'enfant dans un bain pendant la crise : cela peut être dangereux.

- Traitez les convulsions :

  – Donnez à l'enfant du Valium® en intrarectal (par l'anus). Ce traitement fait en principe rapidement cesser les convulsions. Lors de la première crise, le geste doit être exécuté en votre présence par le médecin, afin que vous sachiez comment procéder en cas de récidive. Après un premier épisode convulsif, votre médecin vous laissera une ordonnance d'ampoules de Valium® et vous expliquera exactement comment administrer le traitement.

ATTENTION ! Lors d'une crise convulsive, ne donnez jamais de médicament par voie orale (par la bouche) à un enfant !

Convulsions et épilepsie

Après un épisode de convulsions fébriles, le risque de développer une épilepsie est le même que pour les enfants qui n'ont jamais convulsé (1 %). Les enfants qui ont convulsé avant l'âge de 1 an et récidivé à plusieurs reprises présentent, en revanche, 2,4 fois plus de risques de développer une épilepsie. Les enfants qui ont convulsé avant l'âge de 1 an récidivent dans 50 % des cas. Ceux qui ont convulsé après 1 an ont un taux de récidive plus faible (10 %). Enfin, les enfants qui ont convulsé à deux reprises risquent de recommencer. Parmi ces derniers, on découvre parfois des épileptiques.

Si vous découvrez l'enfant après la crise...

Si vous retrouvez votre enfant inconscient, fébrile, très pâle ou un peu bleu autour des lèvres, avec une respiration bruyante, il a vraisemblablement convulsé, mais la crise est terminée. Il va reprendre conscience progressivement.

• Appelez un médecin.

• Prenez tout de suite la température de l'enfant.

• Déshabillez-le et traitez la fièvre si nécessaire (reportez-vous au chapitre sur la *fièvre,* page 169).

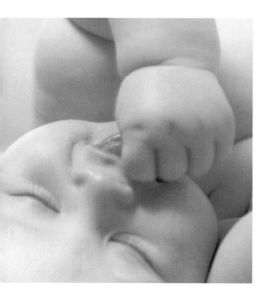

Les traitements

Les convulsions fébriles simples sont bénignes. Aucun traitement préventif n'est donc recommandé systématiquement. Toutefois, deux moyens efficaces sont à votre disposition.

■ Les anti-convulsivants

Le Valium® est parfois prescrit ponctuellement, en cas de fièvre, pour éviter une récidive des convulsions. Ce traitement doit être commencé dès le début de la fièvre. Notez que le Valium® n'a aucune action sur la température. La fièvre doit donc être traitée avec les moyens adéquats.

Les autres traitements anti-convulsivants sont réservés à certains enfants qui ont fait des épisodes convulsifs répétés. Ces traitements doivent être suivis sans interruption. Ils sont très contraignants et ne sont pas dénués de toxicité ni d'effets secondaires. Suivez précisément la prescription médicale.

■ Les antipyrétiques

Les médicaments antipyrétiques sont destinés à faire baisser la fièvre. Le problème principal est que la fièvre est souvent découverte alors qu'elle est déjà élevée. Le risque convulsif est à ce stade important.

ATTENTION ! Quand un enfant a déjà souffert de convulsions, traiter la fièvre efficacement et rapidement permet bien souvent d'éviter une récidive.

Ne négligez pas les moyens physiques comme appoint aux médicaments. En particulier, les linges humides sur la tête, qui diminuent localement la température (reportez-vous au chapitre sur la *fièvre*, page 169).

Les convulsions du nouveau-né : une urgence !

Les manifestations des convulsions chez le nouveau-né et le nourrisson sont à peu près similaires à celles de l'enfant plus grand, mais elles sont souvent moins spécifiques et moins spectaculaires. Le risque est grand de passer à côté sans les dépister ! Le bébé mâchonne sans être vraiment réveillé, son regard est vague et n'accroche pas le vôtre (chez le nouveau-né, qui fixe mal votre regard, ce signe est difficile à évaluer). L'enfant devient mou comme une poupée de chiffon. Il change de couleur, bleuit et se recolore spontanément (accès de cyanose). Ces changements de coloration sont liés aux pauses respiratoires.

Avant l'âge de 6 mois, les convulsions sont le reflet d'une souffrance du cerveau autre que celle provoquée par la fièvre. Votre bébé doit être immédiatement conduit aux urgences pédiatriques de l'hôpital le plus proche. Les médecins poseront un diagnostic et traiteront rapidement l'enfant. Après l'âge de 6 mois, il s'agit le plus souvent de convulsions fébriles.

L'essentiel tout de suite...

En cas de déshydratation, procédez comme suit :

✔ N'attendez pas les premiers signes de déshydratation pour consulter un médecin, en particulier si votre enfant souffre de vomissements ou de diarrhée.

✔ Respectez scrupuleusement le régime prescrit et recherchez d'éventuels signes de déshydratation (perte de poids…).

✔ Si vous n'arrivez pas à appliquer le régime donné par le médecin ou si l'enfant refuse de boire en quantité suffisante le soluté de réhydratation qui lui a été prescrit, s'il est trop fatigué ou se met à vomir, conduisez-le d'urgence à l'hôpital.

Comprendre

La déshydratation résulte d'une diminution excessive des quantités d'eau dans l'organisme. Les nourrissons y sont particulièrement exposés en raison de particularités physiologiques.

Le corps d'un nouveau-né contient en effet 70 % à 80 % d'eau, contre environ 60 % pour un adulte. Le bébé peut ainsi perdre très rapidement une grande quantité d'eau. Dès lors, sa circulation sanguine risque d'être perturbée, ce qui va entraîner une souffrance des organes vitaux (cerveau, reins, foie).

Les facteurs provoquant une perte d'eau sont nombreux. Le plus souvent, celle-ci est d'origine digestive. L'enfant vomit, a des selles liquides, est fébrile. Généralement, ces symptômes sont liés à une gastro-entérite virale, très fréquente durant la période hivernale. Dans la plupart des cas, un régime alimentaire adapté permet une guérison rapide en deux ou trois jours.

Toutefois, les diarrhées profuses, avec des selles fréquentes, très liquides, aqueuses, peuvent entraîner une déshydratation rapide, en particulier si l'enfant présente aussi des vomissements, ne permettant pas de le réhydrater suffisamment par des boissons.

Les autres causes de déshydratation sont les maladies rénales, la fièvre, le coup de chaleur, les brûlures sévères et les erreurs diététiques.

Reconnaître les signes

De nombreux signes peuvent suggérer un début de déshydratation :

- L'enfant a très soif, sa langue est sèche.

- Ses yeux sont creux et cernés.

- Il est fatigué, somnolent ou très irritable. Il pousse des petits cris aigus et plaintifs. Il a de la fièvre (prenez sa température axillaire, voir page 169).

- Si vous pincez la peau de son ventre, il se forme un pli qui persiste au lieu de s'aplatir rapidement.

- Dans les formes graves, l'enfant est comateux.

Pour confirmer le diagnostic, pesez le bébé. La différence

Comment connaître le poids théorique d'un bébé ?

La prise de poids quotidienne d'un bébé varie selon son âge :
- 0 à 3 mois : 30 à 35 g.
- 3 à 6 mois : 20 à 30 g.
- 6 à 9 mois : 15 à 20 g.
- 9 à 18 mois : environ 10 g.

Le poids théorique de l'enfant correspond au dernier poids connu auquel on aura ajouté la prise de poids quotidienne multipliée par le nombre de jours écoulés depuis la dernière pesée. Soit :

Poids théorique = Dernier poids connu + (Prise de poids quotidienne x Nombre de jours écoulés depuis la dernière pesée).

entre le poids théorique du bébé (lire l'encadré ci-contre) et son poids au moment de la pesée, différence essentiellement liée à la perte d'eau, vous indiquera la sévérité de la déshydratation. Avant l'âge de 18 mois, une stagnation du poids de l'enfant doit être considérée comme une perte de poids.

Une perte de poids de 5 % ne donne pas de signes cliniques. Lorsque cette différence atteint 10 %, les signes cliniques sont nets et l'hospitalisation est indispensable. A partir de 15 %, la déshydratation est très grave.

Réagir

• N'attendez pas la manifestation des premiers signes de déshydratation pour consulter un spécialiste. Faites appel systématiquement au médecin dès l'apparition d'une diarrhée ou de vomissements chez votre bébé.

- Respectez scrupuleusement le régime antidiarrhéique prescrit par le médecin (reportez-vous à la section suivante).

- Surveillez le poids du bébé pendant l'épisode diarrhéique. Pesez-le vous-même en louant un pèse-bébé ou en utilisant votre pèse-personne individuel (pour cela, pesez-vous avec le bébé dans les bras, puis seule et calculez le poids du bébé). Comparez au poids précédent inscrit sur le carnet de santé, auquel vous aurez ajouté la prise de poids quotidienne normale multipliée par le nombre de jours écoulés depuis la dernière pesée. Vous pouvez aussi vous rendre au centre de protection maternelle et infantile (PMI) le plus proche de chez vous ou chez votre médecin.

- Recherchez l'apparition de signes de déshydratation (pli cutané de l'abdomen, langue sèche, yeux creux, somnolence).

- Si vous n'arrivez pas à appliquer le régime prescrit par le médecin, ou si l'enfant refuse de boire le soluté de réhydratation en quantité suffisante (reportez-vous à la section suivante), est trop fatigué ou se met à vomir, conduisez-le d'urgence à l'hôpital afin d'éviter une aggravation de son état. En cas de besoin, une réhydratation par perfusion sera pratiquée sur place.

■ Le régime alimentaire pendant une diarrhée

Ces conseils sont indicatifs : **consultez TOUJOURS le médecin pour une diarrhée chez un nourrisson.**

Votre nourrisson a moins de 4 mois

- Sauf avis contraire du médecin, arrêtez le lait maternisé (en cas d'allaitement maternel, vous pouvez continuer de nourrir votre bébé).

- Remplacez le lait par un soluté de réhydratation orale, disponible chez le pharmacien (Adiaril®, Gallialite®, Alhydrate®). Diluez un sachet dans 200 ml d'eau.

- Proposez ce soluté à l'enfant toutes les demi-heures. Laissez-le boire à volonté.

- Si vous allaitez, poursuivez l'allaitement et proposez-lui le soluté de réhydratation en plus, en dehors des tétées.

- Sinon, consultez le médecin pour le choix des produits de remplacement du lait, afin d'apporter à bébé une ration calorique suffisante. C'est le médecin qui décidera également des modalités de réintroduction du régime normal.

Votre bébé est âgé de 4-5 mois

- Arrêtez le lait (sauf en cas d'allaitement maternel).

- Remplacez le lait par un soluté de réhydratation orale (voir ci-dessus). Proposez ce soluté à l'enfant toutes les demi-heures, puis toutes les trois heures.

- Au bout de vingt-quatre heures, si votre bébé va bien et n'a pas perdu de poids, vous pouvez introduire un produit de remplacement du lait (de type Diargal®) pendant quatre jours, même si les selles ne sont pas normalisées.

- Après quatre jours, si la diarrhée a disparu, réintroduisez le lait habituel.

Votre bébé a plus de 5 mois

Son alimentation commence à être diversifiée.

- Supprimez le lait et les laitages, à l'exception des yaourts natures.

- Arrêtez les légumes verts, les fruits et les jus de fruits, les aliments gras ou fermentés.

- Donnez de l'eau à volonté à votre enfant et, éventuellement, un produit de substitution du lait (Diargal®, HN25®, Olac®)

Voici la liste des aliments autorisés :

- Les aliments à base de farine (**SAUF** farines lactées), de riz et de riz mixé.

- Les viandes blanches, le poisson maigre poché ou grillé accompagné d'une noisette de beurre frais.

– Les carottes, éventuellement mélangées avec des pommes de terre.

– Certains fruits : les compotes de pommes, de bananes ou de coings, ou encore la banane fraîche écrasée ou la pomme cuite. La banane a un effet anti-diarrhéique.

Votre bébé a plus de 1 an

• Outre le régime ci-dessus, les enfants de plus de 1 an pourront consommer du Coca-Cola® sans caféine que vous aurez au préalable dégazéifié (versez-en dans un verre et remuez avec une petite cuillère pour évacuer les bulles).

• Vous pouvez également leur donner du chocolat noir, « médicament » généralement fort apprécié des petits !

L'essentiel tout de suite...

En cas de fièvre, procédez comme suit :

Si la température de l'enfant ne dépasse pas 38 °C :

✔ Enlevez-lui les vêtements trop chauds, en ne conservant qu'un vêtement léger en coton.

✔ Contrôlez sa température toutes les heures.

✔ Donnez-lui à boire régulièrement.

Si la température de l'enfant dépasse 38 °C :

✔ Déshabillez l'enfant en ne conservant que ses couches.

✔ Rafraîchissez sa tête en l'humidifiant et faites-le boire régulièrement.

✔ Donnez-lui une dose adaptée de paracétamol. Pour cela, référez-vous à la dernière ordonnance du médecin ou consultez la notice.

✔ Si l'enfant à moins de trois mois, habillez-le légèrement et conduisez-le chez le médecin ou aux urgences de l'hôpital le plus proche.

Comprendre

La température normale de l'enfant se situe entre 37 et 37,5 °C. On parle de fièvre au-delà de 38 °C. Lorsque votre enfant a un comportement inhabituel, est grognon, refuse de manger, somnole, devient tout rouge ou au contraire tout pâle, frissonne, il est vraisemblable qu'il présente de la fièvre. Prenez donc impérativement sa température.

Pour cela :

• Choisissez un thermomètre électronique ou au gallium. Le thermomètre à mercure est interdit depuis le 1er avril 1999. Si vous en possédez un, rapportez-le à votre pharmacien.

• Prenez la température rectale ou la température axillaire de l'enfant (sous le bras). La mesure rectale (par l'anus) indique la température exacte de l'organisme, mais pour des raisons de confort (sommeil de l'enfant) ou en cas de diarrhée, il est possible de prendre la température axillaire.

Cette mesure est moins simple que la mesure rectale :

– Mettez le thermomètre pendant trois minutes dans le creux de l'aisselle, en repliant le bras serré contre la poitrine.

– Ajoutez à la lecture de la température environ 2 ou 3 dixièmes de degré (exemple : pour un affichage de 37,5 °C, température réelle est de 37,8 °C).

Le thermomètre auriculaire (ou « thermoscan ») est inadapté à l'enfant de moins de 1 an. Son usage doit être réservé à l'emploi hospitalier.

Réagir

Si la température de l'enfant ne dépasse pas 38 °C :

• Découvrez-le, surtout s'il s'agit d'un nourrisson. Enlevez-lui les vêtements trop chauds, mais laissez-lui un vêtement léger en coton.

• Contrôlez sa température une heure plus tard. Même si elle baisse, vérifiez à nouveau quelques heures après.

• Si la température continue d'augmenter, vous devez la traiter (reportez-vous dans ce cas à la section suivante).

• Faites boire l'enfant régulièrement pour éviter la déshydratation consécutive à l'évaporation d'eau liée à la fièvre.

Si la température de l'enfant est élevée:

On dispose actuellement de moyens physiques et de médicaments qui agissent différemment et dont l'efficacité n'est pas comparable. Ces moyens sont complémentaires.

Les moyens dits « physiques » font tomber rapidement la fièvre, mais seulement de quelques dixièmes de degrés, en abaissant la température de la peau. Toutefois, même si cette baisse est modeste, elle n'est pas à négliger. Considérez donc toujours cette méthode comme un appoint utile aux médicaments. Rafraîchir la tête est même primordial dans ces cas-là.

Les médicaments, seule méthode vraiment efficace, agissent sur les centres qui contrôlent la température de l'organisme.

Les moyens physiques contre la fièvre

Ce type de refroidissement doit être progressif et agréable à l'enfant. Le choc brutal d'un bain trop froid peut en effet entraîner un malaise qui aggravera la situation.

▇ Dévêtir l'enfant

- Déshabillez l'enfant et laissez-le en couches (ce qui permet d'ailleurs de noter l'apparition éventuelle de rougeurs, de « boutons de chaleur », ou d'observer un changement de coloration de la peau).

- Ne soyez pas trop ferme si l'enfant se plaint d'avoir froid et grelotte : remettez-lui alors un vêtement léger en coton et des chaussettes.

- Dans le lit, couvrez-le seulement d'un drap léger en coton. S'il porte un vêtement léger, ne le couvrez pas.

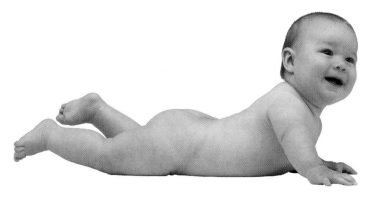

La fièvre chez le nourrisson de moins de trois mois

A cet âge, la fièvre peut être le reflet d'infections graves, nécessitant un traitement en milieu hospitalier. Elle impose de consulter un médecin en urgence.

- *Mettez votre bébé dans un bain, selon les modalités expliquées à la page suivante.*

- *Donnez-lui une dose de paracétamol.*

- *Habillez-le légèrement.*

- *Conduisez-le à une consultation médicale, sans oublier son carnet de santé.*

ATTENTION ! Si vous devez vous rendre aux urgences, téléphonez avant de partir, afin que les médecins des services concernés soient avertis de votre arrivée.

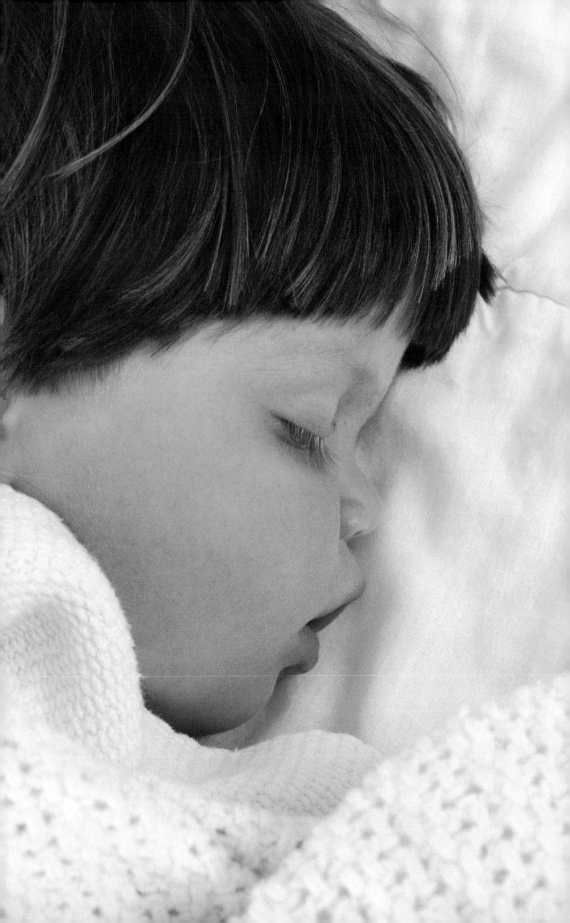

▪ Rafraîchir et faire boire l'enfant

• Préparez un bain. Son principal intérêt est le bien-être de l'enfant qui, souvent, va se détendre et jouer. Même si l'efficacité du bain sur la température est limitée, cette légère baisse améliore le confort de l'enfant et diminue le risque convulsif en attendant l'action des médicaments. Le bain doit durer quinze minutes, pas plus, mais vous pouvez en donner plusieurs par jour. Pensez à arroser doucement et longuement la tête de l'enfant, car 80 % de la chaleur est éliminée par la tête.

• **Le bain ne doit jamais être froid ni même tiède. La température de l'eau doit être inférieure de 1 à 2 °C à celle de l'enfant.** Sans quoi vous risquez de provoquer un choc thermique. Vous devez impérativement contrôler la température de l'eau avec un thermomètre de bain.

• Humidifiez une serviette avec l'eau du bain ou de l'eau tiède. Essorez-la et enroulez-la sur la tête ou sur tout le corps de l'enfant. Changez-la dès qu'elle se réchauffe. Renouvelez souvent l'opération.

• Sinon, mouillez et humidifiez régulièrement les cheveux de l'enfant. Passez-lui fréquemment un gant humide sur le visage et le cou. Vous pouvez aussi vaporiser régulièrement de l'eau sur son corps avec un brumisateur.

• Eventuellement, et si l'enfant est âgé d'au moins 8 mois, vous pouvez vous servir des packs en plastique réfrigérants destinés aux glacières (après les avoir mis au congélateur). Toutefois, ne les posez jamais à même la peau ! Enroulez-les d'abord dans un linge épais ou glissez-les dans un gant. Changez-les de place toutes les dix minutes. Surveillez la coloration de la peau. Si elle bleuit, changez les packs de place. Posez-les alternativement sur la tête, sur le haut des cuisses ou sur les côtés de l'enfant allongé.

• Faites boire régulièrement l'enfant (eau ou jus de fruits allongé d'eau).

ATTENTION ! Si l'enfant tremble, il est inutile – et même nocif – de le couvrir en pensant qu'il a froid.

FIÈVRE

Les médicaments contre la fièvre

Comme tout médicament, ils sont dotés d'un nom chimique (dénomination commune internationale ou DCI) et d'un nom commercial.

Le même produit peut ainsi être vendu sous différents noms commerciaux, mais il conserve toujours le même nom chimique (lire l'encadré ci-dessous).

Les médicaments contre la fièvre sont appelés « antipyrétiques ». Ce sont des antalgiques ou des anti-inflammatoires.

Des noms, des noms !

Connaître le nom chimique d'un médicament (encore appelé dénomination commune internationale ou DCI) est souvent très utile. D'abord parce que les noms commerciaux varient d'un pays à l'autre. La DCI, elle, ne change pas et permet de trouver facilement un médicament à l'étranger. Ensuite, parce que cela peut éviter un surdosage. En effet, on utilise souvent un médicament pour lutter contre la toux et le rhume, un autre pour faire baisser la fièvre, un troisième en suppositoire et un dernier en sirop. Or, il arrive fréquemment que le principe actif contenu dans différents médicaments soit le même... Mieux vaut donc se pencher sur les compositions !

Pour vous en convaincre, voici une liste de quelques médicaments pour enfants qui sont tous à base de paracétamol : Algotropyl®, Calmosedyl®, Claradol®, Coquelusedal-paracétamol®, Doliprane®, Dolko®, Efferalgan®, Fébrectol®, Oralgan®, Trophirès®, Rinutan®, Paralyoc®.

ATTENTION ! Bien que destinés à l'enfant, certains des médicaments cités ci-dessus ne sont autorisés qu'à partir d'un certain âge. Par exemple, l'Algotropyl® est interdit avant l'âge de 1 an, et le Rinutan® interdit avant 3 ans. Lisez bien la notice avant d'utiliser ce type de médicaments.

Ces deux groupes de médicaments agissent sur la fièvre en utilisant des mécanismes très différents. Cela permet de renforcer le traitement ou de le changer quand la fièvre est très élevée et baisse trop peu. Leur association permet de prolonger la baisse de la température.

Le paracétamol, du groupe des antalgiques, agit sur la douleur et la fièvre.

L'aspirine et l'ibuprofène sont des anti-inflammatoires. Comme leur nom l'indique, ils agissent sur les inflammations douloureuses et sur la fièvre.

Lorsque c'est possible, privilégiez les médicaments qui se prennent par la bouche. Ils sont plus efficaces que les suppositoires. Ces derniers seront, en revanche, utiles en cas de vomissements.

■ Le paracétamol

Largement utilisé, il donne peu d'effets secondaires. C'est le médicament à choisir en priorité. Aux doses habituellement prescrites chez l'enfant, il agit sur la fièvre, mais aussi sur la douleur. Il n'a aucun effet anti-inflammatoire.

- Commencez toujours par le paracétamol (Doliprane® Nourrisson-Enfant ou Efferalgan Pédiatrique®). La plupart du temps, cela suffira.

- Donnez une dose adaptée au poids de l'enfant. Vous pouvez pour cela vous référer à sa dernière ordonnance. Sinon, sachez que tous ces médicaments sont désormais munis de pipettes doseuses, qui indiquent automatiquement la quantité de médicament à donner en fonction du poids.

- La dose maximale par vingt-quatre heures est de 60 mg par kilo et par jour. Cette dose totale doit être divisée par quatre, afin de repartir les prises sur vingt-quatre heures. Respectez un intervalle de six heures entre chaque prise.

■ Les anti-inflammatoires à action antipyrétique (aspirine et ibuprofène)

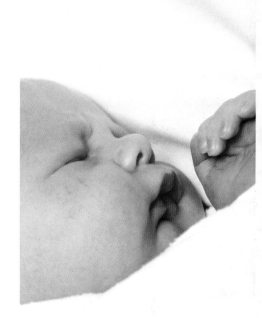

• Si la fièvre ne baisse pas ou qu'elle remonte rapidement, vous pouvez donner un médicament anti-inflammatoire (aspirine ou ibuprofène) à la place du paracétamol (ou en même temps). En revanche, alterner paracétamol et anti-inflammatoire, comme on le fait souvent, n'a aucun intérêt.

Les anti-inflammatoires agissent sur la coagulation (avec une action plus prolongée pour l'aspirine), peuvent irriter les muqueuses digestives et donner des douleurs abdominales. Toutefois, chez l'enfant, ces effets secondaires sont rares, surtout pour l'ibuprofène.

Une règle doit être respectée impérativement : **NE JAMAIS ASSOCIER DEUX ANTI-INFLAMMATOIRES.** Vous augmenteriez leurs effets secondaires, mais pas leurs effets bénéfiques.

Les anti-inflammatoires non stéroïdiens sont de deux types : l'ibuprofène et l'aspirine.

L'ibuprofène (Advil® ou Nureflex® en présentations pédiatriques)

Commercialisé en 1993, l'ibuprofène est, comme l'aspirine, un anti-inflammatoire.

Son efficacité est équivalente à celle du paracétamol ou de l'aspirine, mais sa durée d'action est un peu plus longue, ce qui permet d'espacer les prises toutes les huit heures.

Les deux formes pédiatriques sont des sirops qui diffèrent par leur parfum et leur mode d'administration (pipette graduée ou cuillère mesure).

L'ibuprofène est habituellement administré seul, mais il peut être associé au paracétamol, pour ralentir la remontée de la fièvre.

Nourrisson : attention aux fièvres provoquées par l'environnement

Le nourrisson a une régulation thermique qui dépend beaucoup de la température extérieure et de son habillement.

- Vêtements trop chauds, couvertures, couettes, chaleur excessive peuvent déclencher une élévation brutale de la température (41 °C). L'enfant transpire pour abaisser sa température, avec pour conséquence une déshydratation rapide qui peut mettre sa vie en péril. Appelez le Samu-15 en urgence.

- Lorsque la fièvre est modérée, le déshabillage et la diminution de la température ambiante (19 à 20 °C maximum dans la chambre d'un enfant) suffisent à normaliser la température.

Rappelons que l'usage des couettes est interdit avant l'âge de 1 an. Nous vous conseillons même de différer leur utilisation après l'âge de 2 ans.

Quant aux gigoteuses, elles doivent être parfaitement adaptées à la taille de l'enfant. Si elles sont trop grandes, le bébé risque de glisser au fond du sac. Préférez-leur les « surpyjamas » et veillez à ce qu'ils ne soient pas trop chauds.

- Référez-vous à la dernière ordonnance de votre enfant. La dose maximale par vingt-quatre heures est de 30 mg par kilo et par jour. Cette quantité totale est divisée en trois doses, à répartir sur vingt-quatre heures. Respectez un intervalle de huit heures entre chaque prise.

L'aspirine (Catalgine®, Aspégic®)

De la famille des anti-inflammatoires, l'aspirine agit sur la fièvre de façon remarquable. Son action est rapide. En trente minutes, la fièvre commence à baisser et en trois heures, la température est presque normale.

L'aspirine a été largement utilisée, mais elle est actuellement délaissée au profit de l'ibuprofène.

Son administration est à éviter chez l'enfant avant 6 ans, chez les allergiques et aussi dans les fièvres d'origine virale. En effet, la prise d'aspirine au cours de certaines viroses comme la varicelle ou la grippe, peut déclencher une complication rare mais gravissime, appelée syndrome de Reye. En outre, son action sur la coagulation sanguine est plus marquée que celle des autres antipyrétiques.

- La dose maximale par vingt-quatre heures est de 75 mg par kilo et par jour. Cette dose est à diviser en six prises, réparties sur vingt-quatre heures.

- Respectez un intervalle de quatre heures entre chaque prise. La durée de traitement est prescrite par le médecin. En général, elle ne dépasse pas quarante-huit heures. N'utilisez l'aspirine qu'en cas d'échec du paracétamol et de l'ibuprofène. Et n'alternez pas l'aspirine avec l'ibuprofène.

L'essentiel tout de suite...

En cas d'hypoglycémie, procédez comme suit :

Si l'enfant a perdu conscience...

✔ Appelez le Samu-15 ou les pompiers-18.

Si l'enfant est conscient...

✔ Donnez lui un biberon d'eau sucrée ou de jus de fruits.

Comprendre

L'hypoglycémie se caractérise par une baisse importante du taux de sucre dans le sang.

Elle est rare chez le tout-petit, les enfants étant correctement et régulièrement alimentés sous nos latitudes. Elle peut toutefois survenir à la suite d'une intoxication (alcool, aspirine à forte dose, médicaments).

Reconnaître les signes

L'hypoglycémie s'accompagne d'un certain nombre de symptômes :

- Pâleur.
- Tremblements.
- Moiteur des extrémités.
- Etourdissements, voire perte de connaissance.

Réagir

- Si l'enfant a perdu conscience, appelez le Samu-15 ou les pompiers-18.
- Si l'enfant est conscient, donnez-lui un biberon d'eau sucrée ou de jus de fruits, afin de faire remonter sa glycémie (taux de sucre dans le sang) et appelez le médecin.

HYPOTHERMIE

L'essentiel tout de suite...

En cas d'hypothermie, procédez comme suit :

✔ Donnez un biberon de lait chaud à l'enfant.

✔ Mettez-lui des vêtements supplémentaires et prenez-le dans vos bras pour le réchauffer.

Si la température de l'enfant est inférieure à 32 °C...

✔ Enveloppez-le dans une couverture.

✔ Prévenez les secours (Samu-15 ou pompiers-18).

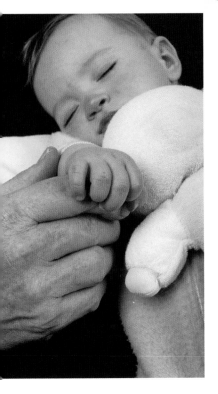

Comprendre

Les médecins parlent d'hypothermie lorsque la température corporelle de l'enfant est inférieure à 35 °C.

L'hypothermie peut être la conséquence d'une exposition trop longue à un environnement froid, par exemple lors d'une noyade. Elle peut également survenir à la suite d'une intoxication ou être la conséquence, paradoxale, d'une infection (elle succède alors souvent à un épisode de fièvre aiguë). Chez le tout-petit, elle peut enfin être le résultat d'une défaillance des mécanismes physiologiques de réchauffement du corps, en particulier lorsque le logement est mal chauffé.

A Paris, le Samu reçoit environ 3 à 4 appels par mois pour hypothermie, contre 140 à 170 pour hyperthermie (fièvre). Souvent, l'accident fait suite à la prise de médicaments contre la fièvre (antipyrétiques) qui ont fait chuter la température de l'enfant trop brutalement. Quelques infections virales sont également incriminées.

Reconnaître les signes

Certains signes doivent vous pousser à prendre la température de l'enfant :

• Somnolence.

• Frissons.

• Etourdissements.

Lorsque la température corporelle est inférieure à 35 °C mais supérieure à 32 °C, l'hypothermie est modérée.

Réagir

• Une hypothermie modérée sera aisément soignée par un biberon de lait chaud, une augmentation de la température de la pièce et quelques vêtements plus protecteurs. Pour réchauffer bébé, les bras de la mère constituent souvent le meilleur des « radiateurs ».

Une hypothermie grave (en dessous de 32 °C) peut mettre la vie de l'enfant en danger.

• Procédez comme décrit ci-dessus pour réchauffer l'enfant.

• Enveloppez-le dans une couverture bien chaude.

• Appelez le Samu-15 ou les pompiers-18.

LARYNGITE AIGUË

L'essentiel tout de suite...

En cas de laryngite aiguë, procédez comme suit :

✔ Contactez le médecin, le Samu-15 ou emmenez votre enfant aux urgences de l'hôpital le plus proche.

✔ En attendant l'arrivée du médecin, faites respirer à votre enfant de la vapeur d'eau (placez, par exemple, une casserole d'eau en ébullition dans la chambre de l'enfant, en veillant bien à ce qu'il ne puisse pas y toucher).

Comprendre

Le larynx est un petit conduit situé au fond de la gorge. Il peut s'ouvrir et se fermer, ce qui permet à l'air d'entrer et de sortir des bronches. Il se ferme, entre autres, à chaque fois que nous avalons, pour éviter que les aliments ne pénètrent dans les poumons (« fausse-route » alimentaire).

Si le larynx est irrité, le passage de l'air est plus difficile. En raison de l'inflammation laryngée (laryngite), la toux devient rauque. La voix, quant à elle, peut rester normale, être rauque ou éteinte (ce sont les cordes vocales du larynx qui nous permettent de parler).

Il existe différents types de laryngites. Les plus fréquentes sont d'origine virale. Mais d'autres causes sont parfois retrouvées : une bactérie, dans le cas de l'épiglottite, la plus dangereuse des laryngites, ou une réaction allergique en cas de laryngite striduleuse.

Plus rarement, la présence d'un corps étranger ou encore une piqûre d'insecte peut provoquer une inflammation de l'arrière-gorge.

La plupart des laryngites aiguës de l'enfant sont provoquées par des virus. Leur fréquence augmente à l'automne et durant l'hiver.

Reconnaître les signes

Le plus souvent, la maladie débute comme un rhume banal. Les signes de laryngite apparaissent plus tard, dans la nuit, et vont devenir de plus en plus nets.

- La gêne respiratoire s'installe. La tonalité de la toux se modifie, elle devient rauque. La voix est normale.
- L'enfant respire de plus en plus difficilement, surtout pour inspirer.
- La fièvre est modérée (autour de 38 °C).

Réagir

Dès que l'enfant présente les signes d'une laryngite, il faut le soigner. Dans la plupart des cas, le traitement sera pratiqué par le médecin à domicile. Le Célestène® en gouttes suffit le plus souvent. Dès le lendemain, l'enfant ira mieux.

- En cas de laryngite, vous devez donc impérativement contacter votre médecin, le Samu-15 ou emmener votre enfant aux urgences.
- En attendant le médecin, faites respirer à votre enfant de la vapeur d'eau (diffusez la vapeur d'une cocotte-minute dans sa chambre, faites couler de l'eau chaude dans la salle de bain et demandez à l'enfant de rester dans cette atmosphère humide...).

Les différents cas

◼ L'épiglottite

C'est la plus grave des laryngites. Elle est due à un germe, l'*haemophilus influenzae* de souche B, responsable également de méningites.

A NOTER

Un traitement indispensable sous peine de complications

En l'absence de traitement, l'enfant fera de plus en plus d'efforts pour respirer. Plus le temps passera et plus il se fatiguera. La laryngite est alors de plus en plus mal tolérée. L'enfant devient somnolent, il bleuit. Dans ce cas, la prise en charge en milieu hospitalier est nécessaire. L'enfant y sera traité par des aérosols et des corticoïdes injectables. Parfois, surtout chez les jeunes enfants, l'épuisement sera tel qu'il faudra lui apporter une aide respiratoire par l'intermédiaire d'un respirateur artificiel. Pour cela, l'enfant fera un bref séjour dans un service de réanimation.

LARYNGITE AIGUË

Actuellement, la vaccination contre cette bactérie fait partie du calendrier vaccinal de l'enfant, mais elle n'est pas obligatoire. Même si le vaccin a permis de diminuer considérablement le nombre de cas de laryngites, les enfants non immunisés demeurent à risque.

Quels sont les signes évocateurs ?

- La fièvre est élevée, l'enfant a très mauvaise mine, son teint est gris.
- Il ressent une gêne importante pour respirer.
- Il s'assoit et se penche en avant pour mieux inspirer.
- Il a très mal à la gorge et ne parvient pas à avaler sa salive.
- Il ne tousse pas et sa voix est étouffée, voire éteinte.

Que faire ?

- Surtout **N'ALLONGEZ PAS** l'enfant : il risque de faire un arrêt cardiaque ! Ne tentez pas non plus de regarder sa gorge.
- Appelez immédiatement le Samu-15.

L'urgence est de rétablir une oxygénation correcte en mettant l'enfant sous respirateur artificiel. Une antibiothérapie adaptée sera prescrite immédiatement pour éradiquer l'infection.

■ La laryngite striduleuse

Cette affection est souvent d'origine allergique. Elle se manifeste par des quintes de toux sèche accompagnées de gêne respiratoire. La toux et la voix sont rauques. Les accès peuvent durer quelques minutes et rentrer ensuite dans l'ordre.

Que faire ?

L'humidification de l'air (une casserole d'eau en ébullition dans la chambre de l'enfant, posée en un lieu où l'enfant ne peut y toucher et où elle ne risque pas de tomber) et le Célestène® guérissent l'enfant en quelques heures.

DR

■ Le corps étranger

Si la voix de l'enfant est éteinte et que la laryngite apparaît soudainement, pensez à l'éventualité d'un corps étranger coincé dans la gorge.

■ La piqûre d'insecte avec œdème laryngé

Les piqûres d'hyménoptères suscitent, chez les personnes allergiques, un gonflement important des voies respiratoires supérieures, accompagné d'œdème. La vie de l'enfant est en jeu.

Que faire ?

- Agissez vite. Appelez le Samu-15 (reportez-vous au chapitre sur les *piqûres*, page 221).

L'essentiel tout de suite...

En cas de malaise grave du nourrisson, procédez comme suit :

✔ Appelez le Samu-15.

Si le nourrisson est inconscient, mais respire normalement...

✔ Placez-le en position latérale de sécurité en attendant les secours (voir page 145).

Si le nourrisson ne respire plus...

✔ Commencez la réanimation cardio-respiratoire (voir pages 84 et 85).

Comprendre

Le malaise du nourrisson est rare, mais son évolution est parfois dramatique.

A Paris, on recense une centaine de malaises graves du nourrisson pour environ 31 000 naissances par an, soit environ 3 cas pour 1 000 bébés.

Tout nourrisson qui présente un malaise grave doit être hospitalisé, même si la récupération a été spontanée et rapide. Cette hospitalisation a pour but de rechercher la cause du malaise, afin de la traiter et d'éviter la récidive.

Dans 40 % des cas, un reflux gastro-œsophagien, avec ou sans vomissement, est à l'origine du malaise.

Les deux autres causes les plus fréquentes (15 %) sont les infections ORL et broncho-pulmonaires (virales ou bactériennes), et les malformations congénitales méconnues qui « décompensent » brutalement.

Plus rarement, on retrouve des tumeurs, certains troubles métaboliques, des asphyxies obstructives, des épilepsies, certaines urgences chirurgicales de l'enfant, une intolérance au lait de vache, des intoxications au monoxyde de carbone ou encore un traumatisme crânien.

Le malaise du nourrisson ne doit en revanche pas être confondu avec le choc anaphylactique, dont la cause est différente (reportez-vous à la page 93).

Dans certains cas, l'origine du malaise n'est jamais retrouvée.

Reconnaître les signes

Le malaise du nourrisson est un événement spectaculaire et très angoissant pour ceux qui y assistent :

- Le nourrisson, auparavant en pleine forme, devient tout pâle.

- Il bleuit, son regard se fige, sa respiration est irrégulière ou même s'arrête.

- Son corps devient tout mou ou, au contraire, se raidit et tremble.

Le plus souvent, le malaise est bref et l'enfant recouvre rapidement son état antérieur. Mais parfois, le malaise s'aggrave et évolue vers un arrêt respiratoire ou cardio-respiratoire.

Réagir

- Appelez immédiatement le Samu-15. Evaluez les constantes vitales de l'enfant (respiration et battements cardiaques) et agissez en fonction de son état :

Si le nourrisson est inconscient, mais respire normalement...

- Allongez-le sur le côté, en position latérale de sécurité (voir page 145) et attendez les secours.

La respiration du nourrisson est irrégulière, il marque des pauses respiratoires...

• Couchez l'enfant sur le dos, la tête légèrement défléchie en arrière. Libérez les voies aériennes en basculant doucement la tête en arrière puis débutez immédiatement la respiration artificielle s'il n'y a pas d'amélioration (reportez-vous au chapitre sur l'*arrêt cardio-respiratoire*, page 76).

Le nourrisson est en arrêt cardio-respiratoire...

• Débutez la réanimation cardio-respiratoire (reportez-vous au chapitre sur l'*arrêt cardio-respiratoire*, page 76).

• Poursuivez les manœuvres jusqu'à l'arrivée du Samu-15.

PERTE DE CONNAISSANCE

L'essentiel tout de suite...

En cas de perte de connaissance, procédez comme suit :

✔ Allongez l'enfant en position latérale de sécurité (voir page 145).

✔ Appelez le Samu-15 ou les pompiers-18.

✔ Commencez si nécessaire le massage cardiaque et la ventilation artificielle (voir pages 83, 84 et 85).

Comprendre

Les pertes de connaissance chez l'enfant ont des causes extrêmement diverses. L'*hypoglycémie* (page 181) et l'*hypothermie* (page 182) peuvent être à l'origine du malaise, mais bien d'autres facteurs sont retrouvés (intoxication, déshydratation, syncope vasovagale).

Chez le tout jeune enfant et le nourrisson, une immaturité neurologique peut aussi être en cause. Ces évanouissements ne signent pas pour autant systématiquement un risque épileptique.

Habituellement, un évanouissement ne dure que quelques instants et l'enfant reprend connaissance très rapidement.

Réagir

- Allongez l'enfant en position latérale de sécurité (voir page 145) pour éviter qu'il s'étouffe en cas de vomissements. Assurez-vous qu'il respire librement.

- S'il se réveille, rassurez-le, parlez-lui même s'il ne réagit pas, rafraîchissez son visage avec une compresse ou un gant de toilette mouillé.

- Notez la durée de l'évanouissement, la présence ou non de mouvements saccadés avant ou après le malaise, minutez le temps de récupération, observez la persistance d'une éventuelle absence de réaction à certains stimuli (chatouillez-lui les pieds et voyez comment il réagit ; passez un objet près de ses yeux en vérifiant que son regard suit le mouvement).

• Faites part le plus vite possible de toutes ces observations au médecin.

Si l'enfant ne reprend pas connaissance très rapidement :

• Appelez immédiatement le Samu-15 ou les pompiers-18.

• Vérifiez les constantes vitales de l'enfant (respiration, battements cardiaques).

• Si nécessaire, commencez le massage cardiaque et la ventilation artificielle (reportez-vous au chapitre sur l'*arrêt cardio-respiratoire*, page 76).

Urgences psychologiques

Partie 4

Comprendre

Il s'agit d'un état de souffrance psychique aiguë, qui peut mettre en danger la santé psychologique de l'enfant. C'est généralement à la suite d'un événement traumatique que l'enfant se trouve dans une situation d'urgence. A la différence d'une urgence médicale, cette souffrance n'est pas palpable et peut paraître invisible aux yeux des adultes.

Les causes

■ Les événements traumatiques

Un traumatisme est un événement qui survient brutalement dans la vie de l'enfant et fait effraction dans son psychisme avec une telle force, une telle brutalité et une telle surprise que l'enfant ne peut l'intégrer. En état de choc, il est débordé dans sa capacité à « traiter » l'événement.

Un même événement peut créer un traumatisme chez un enfant et pas chez un autre. Cela dépend de ses zones de fragilités et des résonances que l'événement rencontre dans son histoire.

Le décès d'un proche : le père, la mère, un frère, une sœur, un grand parent, une nounou, un enseignant... Il arrive que l'enfant souffre tellement de la séparation qu'il ressente le désir de mourir pour retrouver la personne qu'il a perdue.

La séparation des parents : cela est peu fréquent, mais lorsque la séparation est brutale et que rien ne la laissait entrevoir, ou bien lorsque les parents se déchirent violemment, l'enfant peut se sentir coupable de cette séparation. Il pense en être la cause, et cherche dans son comportement les raisons de la rupture. Il croit qu'il n'a pas été assez gentil, il se demande ce qu'il a fait pour ne pas retenir ses parents. La famille étant en crise, il n'ose pas se confier et garde pour lui ses pensées qui le rongent.

Les drames familiaux : lorsque l'enfant est témoin d'un meurtre, ou d'actes de violence d'un parent envers l'autre.

Les agressions sexuelles : elles atteignent l'enfant dans son intimité et son identité. N'ayant pas encore l'expérience de la vie sexuelle, il ne comprend pas ce qui lui arrive et est incapable de trouver des mots précis pour exprimer ce qui l'a atteint. D'autant que l'agresseur accompagne toujours son acte d'une manipulation mentale : il menace l'enfant, lui fait du chantage, lui dit que c'est de sa faute. Se sentant tellement coupable et honteux (d'autant plus, s'il a ressenti du plaisir), l'enfant garde son secret.

Quand l'agresseur est un membre de la famille, la situation est encore plus complexe. Car l'abus sexuel n'est malheureusement pas un acte isolé, mais répétitif. L'enfant vit dans la confusion, puisque des liens affectifs se superposent à la violence des actes. Il sent que sa parole peut faire exploser la famille. Sa culpabilité est très forte.

La maltraitance physique : élevé à coup de ceinturon ou de claques, l'enfant vit en permanence dans la peur, d'autant que la maltraitance s'accompagne toujours de menaces. Non seulement l'enfant souffre, mais il vit dans la culpabilité d'être mauvais, sans valeur, d'avoir mal fait quelque chose.

Les accidents de voiture, catastrophes naturelles, attentats… : ces événements surgissent brutalement dans la vie de l'enfant, de manière totalement imprévisible. Non seulement ils mettent sa vie en danger, mais aussi celle des adultes censés le protéger. Ils peuvent faire naître chez l'enfant un profond sentiment d'insécurité et une angoisse de mort.

■ La détresse psychologique des parents

D'autres situations, non liées à un événement traumatique, peuvent générer une grande souffrance chez l'enfant. Elles surviennent lorsque la jeune mère vit une situation de crise d'angoisse, avec la crainte de pas pouvoir s'occuper de son bébé, lui prodiguer les soins et l'attention nécessaires à sa sécurité affective. Ce peut être le cas lorsqu'elle est en dépression, en deuil (décès du conjoint), maltraitée par son compagnon… La mère dépressive passe brusquement de l'hyper-investissement à la négligence vis-à-vis de son enfant. Or, ce dernier a besoin de stabilité et du coup, il manque de repères.

Citons également les cas de « panique infanticide ». Il s'agit de parents éprouvant des pensées violentes à l'égard de leur enfant

(envies de meurtre, par exemple). Ils ont du mal à contenir leurs pensées et en éprouvent un très lourd sentiment de culpabilité.

Reconnaître les signes

Désir de mourir pour en finir avec sa souffrance, peur et anxiété : voilà ce que peut éprouver l'enfant confronté à un événement traumatisant ou à des parents en détresse. Il n'exprimera pas sa souffrance par des mots, mais au travers d'actes ou de symptômes physiques.

L'enfant qui a des envies de suicide peut le montrer par des gestes évocateurs. Il s'assied sur le bord d'une fenêtre, se penche au balcon, se met un foulard ou un ruban autour du cou, mime un couteau en train de lui trancher la gorge… Certains enfants ne semblent pas maîtriser l'évaluation du danger : ils font des chutes à répétition, traversent volontairement une rue à l'approche d'une voiture…

D'autres symptômes doivent également retenir votre attention : perte d'appétit, troubles du sommeil (difficultés d'endormissement, insomnies, cauchemars à répétition, terreurs nocturnes), baisse des résultats scolaires, forte agressivité, hyperactivité, retrait, repli sur soi, mutisme. Soyez attentif(ve) aux changements brutaux ou rapides de comportement.

Réagir

Prenez rapidement rendez-vous avec un pédopsychiatre.

L'attitude parentale

- Evitez deux écueils : banaliser la souffrance de l'enfant ; vous angoisser et culpabiliser à l'extrême. Dans le premier cas, l'enfant se sentira nié. Dans le second, son angoisse risque de s'amplifier.

- Montrez-vous responsable et protecteur(trice). Prenez en considération sa demande et parlez-lui posément : « on va t'aider ; on va chercher avec toi de quoi tu souffres, pourquoi tu ne veux plus vivre. Untel va t'aider ».

URGENCES PSYCHOLOGIQUES

- Si l'enfant a subi un traumatisme, expliquez-lui que sa réaction (peur, panique, choc, colère, tristesse…) est normale et que c'est l'événement qui était anormal. Parce que l'enfant en proie à des émotions intenses peut croire qu'il est à l'origine du problème.

- Si vous-même vous vous sentez en difficulté auprès de votre enfant, n'hésitez pas à contacter un consultant par téléphone (voir page suivante les coordonnées des différentes lignes d'écoute téléphoniques dans la rubrique *A qui vous s'adresser ?*). Si vous avez des pensées violentes à l'égard de votre enfant, sachez que le fait de pouvoir en parler à un(e) psychologue permet de les atténuer considérablement.

Le travail du pédopsychiatre

Il voit généralement les parents avec l'enfant, puis l'enfant seul. Ce dernier trouve un espace dans lequel il peut librement exprimer sa souffrance, sa colère, sa tristesse, sans craindre d'être jugé, ni grondé. Bien souvent, l'enfant n'ose pas exprimer ses émotions de peur de blesser ou de faire souffrir ses parents.

Le pédopsychiatre, non impliqué affectivement, va l'aider à mettre des mots sur sa souffrance, à lui donner un sens en la reliant à son vécu. L'important dans ce travail sera de l'amener à verbaliser ce qu'il aura ressenti. Ces paroles l'aideront à diminuer, à évacuer les images violentes jusqu'à les faire disparaître.

En l'absence d'un tel accompagnement, l'enfant risque de garder « intact » le choc qu'il aura subi. Des images reviendront en *flash-back*, soit spontanément, soit à l'occasion d'événements précis. Il risque alors de développer des mécanismes de défense pour s'en protéger : comportement d'évitement, hypermaturité, clivage (il partage son psychisme en deux, une partie blessée qui semble brutalement détruite et une partie intacte qui ne sent rien).

Plus vous consultez tôt, plus la situation se résoudra rapidement. Quelques séances permettent de faire disparaître les symptômes. Mieux vaut cependant ne pas en rester là, car un travail plus approfondi est souvent nécessaire pour dénouer les situations complexes.

A qui vous adresser ?

Pour répondre à une situation d'urgence, il existe différentes lignes d'écoute téléphoniques. Médecins et psychologues vous apporteront aide, soutien et conseils, et vous orienteront vers les personnes adéquates. La plupart sont des numéros verts (appel gratuit).

• **Allô Enfance maltraitée :** 119 (7j / 7).

URGENCES PSYCHOLOGIQUES

- **Cellule « SOS Violences » en milieu scolaire :** 0 801 55 55 00 (du lundi au vendredi - 9h / 17h)

- **Jeunes Violences Ecoute :** 0 800 20 22 23 (7j / 7 - 8h / 23h).

- **Fil Santé jeunes :** 0 800 235 236 (7j / 7 - 8h / 24h)

- **Inter Service Parents :** 01 44 93 44 93 (du lundi au vendredi - 9h30 / 12h30 - 13h30 / 17h)

- **Enfance et partage :** 0 800 05 12 34 (du lundi au samedi - 9h / 20h).

- **SOS Amitié :** 01 42 96 26 26 / 0 820 066 066 (7j / 7).

- **Croix-Rouge Ecoute Enfants-Parents :** 0 800 85 88 58 (du lundi au vendredi -10h / 22h - du samedi au dimanche 12h / 18h)

- **Institut National d'Aide aux Victimes et de Médiation (Inavem) :** 0 810 09 86 09 (du lundi au samedi - 10h / 22h).

Vous pouvez également vous adresser aux établissements suivants :

- Centre Médico-Psychologique (CMP)

- Centre Médico-Psycho-Pédagogique (CMPP)

- Protection Maternelle et Infantile (PMI) pour les enfants très jeunes.

Ces différentes structures regroupent des pédiatres, des pédopsychiatres, des psychologues, tous spécialistes de l'enfance. Les consultations sont gratuites. Renseignez-vous auprès de l'hôpital le plus proche pour les CMP et CMPP, et auprès de votre mairie pour les centres de PMI. Ces différents centres accueillent les enfants et les parents.

Sommaire
Accidents sans gravité

Accidents sans gravité

Partie 5

L'essentiel tout de suite...

En cas de bleu ou de bosse, procédez comme suit :

✓ Posez un sac de glaçons, protégé par un linge, sur la zone douloureuse pendant au moins cinq minutes.

✓ Appliquez ensuite une pommade à base d'arnica.

✓ Si la bosse est située sur le crâne et vous semble importante, ou si le bleu est très étendu, consultez un médecin.

Comprendre

Courantes chez l'enfant, ces blessures sont souvent sans gravité, surtout lorsqu'elles sont de petite taille et situées sur les membres.

Restez néanmoins prudent en cas de bosse sur la tête. Méfiez-vous des traumatismes crâniens (reportez-vous si nécessaire à la page 97).

Il en est de même pour les bleus étendus sur le thorax ou l'abdomen. Le choc peut avoir provoqué des lésions internes méconnues initialement.

Réagir

Si vous soupçonnez la présence de lésions internes ou si le bleu est de taille importante, un avis médical est indispensable. Attention, en particulier, aux chutes de vélo avec choc sur le guidon.

Pour les petits bleus et les petites bosses, seule la glace est efficace. Elle permet de calmer la douleur et de diminuer la taille des bleus ou des bosses.

• Posez tout de suite un sac de glaçons, protégé par un linge, sur la zone douloureuse.

• Laissez-le pendant environ cinq minutes.

• Appliquez ensuite une pommade à base d'arnica.

L'essentiel tout de suite...

En cas de griffure, procédez comme suit :

✔ Lavez la plaie avec de l'eau savonneuse à deux ou trois reprises.

✔ Désinfectez la plaie soigneusement avec du chlorure de benzalkonium.

✔ Couvrez-la à l'aide de compresses stériles.

✔ Vérifiez que l'enfant est bien vacciné contre le tétanos.

Comprendre

Comme pour les *morsures* (reportez-vous à la page 214), les griffures peuvent être d'origine humaine ou animale. Le plus souvent, il s'agit d'un chien ou d'un chat.

Les griffures sont douloureuses et comportent aussi un risque infectieux. Lorsqu'elles sont situées sur le visage, il est préférable de consulter un médecin. Sinon, il faut les traiter de la même manière que les morsures.

Les chats transmettent parfois par leurs griffes une maladie, *la lymphoréticulose bénigne*, appelée aussi « maladie des griffes du chat ». Cette affection, en général sans gravité, entraîne de la fièvre et l'apparition d'un ou plusieurs ganglions. Elle guérit sans traitement.

Réagir

Procédez comme pour une morsure, en prévenant le risque infectieux.

• Lavez la plaie avec de l'eau savonneuse à deux ou trois reprises.

• Désinfectez la plaie soigneusement avec du chlorure de benzalkonium.

• Couvrez-la à l'aide de compresses stériles.

ATTENTION ! Si les vaccinations de votre enfant contre le tétanos ne sont pas à jour, sachez qu'une simple égratignure, une piqûre de rosier ou une écharde peut lui transmettre le bacille de Nicolaier, responsable de la maladie. En cas de plaie supposée « tétanigène », il est donc urgent de pratiquer rapidement un rappel du vaccin ou une injection de sérum antitétanique.

L'essentiel tout de suite...

En cas de morsure, procédez comme suit :

Pour une morsure animale (sauf les serpents) ou humaine...

✓ Lavez la morsure avec de l'eau savonneuse à deux ou trois reprises.

✓ Désinfectez soigneusement la plaie avec du chlorure de benzalkonium.

✓ Couvrez-la à l'aide de compresses stériles.

✓ Vérifiez bien que les vaccinations de votre enfant sont à jour. Assurez-vous aussi que l'animal est vacciné contre la rage, surtout en zone endémique.

✓ Consultez toujours un médecin.

Pour une morsure de serpent...

✓ Immobilisez le membre mordu et faites un bandage serré avec une bande Velpeau au-dessus de la morsure (sans faire de garrot !).

✓ Désinfectez la plaie au Dakin® ou avec de l'eau de Javel diluée à 3 ° de chlorométrie.

✓ Placez de la glace dans un linge ou un gant et posez-la sur la morsure.

✓ Allongez l'enfant et emmenez-le aux urgences sans le faire marcher.

Si l'enfant présente un malaise, des vertiges, ressent des difficultés pour respirer :

✓ Avertissez les secours (Samu-15 ou pompiers-18).

✓ Allongez-le et procédez comme décrit ci-dessus (glace et bandage serré au-dessus de la morsure).

✓ En attendant les secours, surveillez les constantes vitales de l'enfant (rythme cardiaque et fréquence respiratoire).

Parfois, les morsures de serpents provoquent un gonflement impressionnant du membre atteint. Il devient froid, vire au blanc bleuté. C'est le signe d'une envenimation, qui nécessite une hospitalisation.

Comprendre

Pour la plupart d'entre nous, les morsures évoquent les chiens. Pourtant, les canidés ne sont pas les seuls à mordre, loin s'en faut. Un enfant peut être mordu par l'un de ses camarades, par exemple. De plus, contrairement à ce que l'on pourrait croire, les serpents ne piquent pas... ils mordent ! Leurs morsures nécessitent un traitement particulier, puisqu'elles peuvent entraîner l'inoculation de venin. Elles font dans ce chapitre l'objet d'une section spécifique.

Outre le risque d'envenimation pour les morsures de serpents venimeux (vipères), le risque des morsures réside principalement dans l'infection bactérienne de la blessure. Attention notamment au tétanos ! Vérifiez bien que les vaccinations de votre enfant sont à jour. Assurez-vous aussi que l'animal est vacciné contre la rage, surtout en zone endémique.

Enfin, bien que les morsures animales soient les plus fréquentes, sachez que les morsures humaines sont parfois plus graves. Elles véhiculent quantité de germes infectieux.

Réagir

■ Les morsures d'animaux (à l'exception des serpents) ou d'humains

- Lavez la morsure avec de l'eau savonneuse à deux ou trois reprises.
- Désinfectez la plaie soigneusement avec du chlorure de benzalkonium.
- Couvrez-la à l'aide de compresses stériles.

ATTENTION ! Une consultation médicale s'impose quelle que soit la morsure. La fermeture de la blessure sera effectuée par un chirurgien. Si les cicatrices sont très visibles, elles pourront ensuite bénéficier de chirurgie réparatrice.

Attention à la rage !

Ne prenez aucun risque ! Chez l'homme, la période silencieuse (sans symptôme apparent) peut être très longue (jusqu'à plusieurs mois). Or la rage est une maladie mortelle.

- Téléphonez à un vétérinaire pour savoir si votre lieu de résidence est touché par la rage (zone « endémique »).

Si vous habitez dans une zone endémique :

- Demandez le carnet de vaccination de l'animal à son propriétaire. Vérifiez vous-même les dates des injections.

- Si cela se révèle impossible, contactez le vétérinaire de l'animal.

Si vous êtes dans une zone indemne de rage :

- Vérifiez que l'animal est bien vacciné contre la rage.

- S'il n'est pas vacciné, demandez au propriétaire s'il a effectué des voyages avec son animal dans des zones à risques ou des pays étrangers durant les derniers mois.

- L'animal doit être surveillé pendant dix jours. S'il ne présente aucun signe au bout de cinq jours, on peut le considérer comme non atteint. Votre enfant ne risque donc pas de contracter la rage.

Si vous n'avez aucune information sur l'animal (animal errant ou sauvage), il faut traiter l'enfant de manière préventive, comme si la bête était enragée.

- Conduisez l'enfant immédiatement chez le médecin pour qu'il reçoive un traitement spécifique antirabique (vaccination et sérum antirabique).

Méfiez-vous ! Certains petits animaux sauvages, même mignons et sympathiques, peuvent être atteints (écureuils, hérissons, souris, chauves-souris). Il en va de même pour le bétail.

■ Les morsures de serpents

Les vipères sont les seuls serpents venimeux vivants sous nos climats, mais leur morsure est rarement mortelle. Il arrive que l'on sente une petite douleur au moment de la morsure sans que l'on ait eu le temps de voir le reptile. L'endroit de la blessure est souvent évocateur : pied, cheville ou main si cette dernière a été posée sur le sol...

Les traces des crocs de la vipère donnent deux petits points, souvent entourés d'une aréole rouge. Il faut y penser même si vous n'observez qu'une seule petite tache rouge, car il n'est pas rare que la vipère perde un croc.

Que faire ?

- Immobilisez le membre mordu et faites un pansement serré avec une bande Velpeau juste au-dessus de la plaie (**PAS DE GARROT !**).

- Désinfectez la morsure au Dakin® ou avec de l'eau de Javel diluée à 3 ° de chlorométrie.

- Posez, si possible, de la glace sur la plaie. Cela ralentira la diffusion du venin. Notez que pour éviter les gelures, la glace ne doit jamais être posée directement sur la peau. Placez-la au préalable dans un linge ou un gant.

- Allongez l'enfant et emmenez-le aux urgences sans le faire marcher.

Les morsures de serpents peuvent entraîner un malaise, accompagné de sueurs, pâleur, vertiges, troubles respiratoires. Si c'est le cas :

- Avertissez les secours (Samu-15 ou pompiers-18).

- Allongez le blessé. Procédez comme décrit ci-dessus (glace et bandage serré au-dessus de la morsure).

- En attendant les secours, surveillez les constantes vitales de l'enfant (rythme cardiaque et fréquence respiratoire).

Parfois, les morsures de serpents provoquent aussi un gonflement impressionnant du membre atteint. Il devient froid, vire au blanc bleuté : c'est l'envenimation, heureusement rare. Le retour à la normale risque de prendre plusieurs semaines. L'hospitalisation est nécessaire car il peut exister un risque vital.

L'essentiel tout de suite...

En cas de piqûre, procédez comme suit :

✔ Calmez l'enfant et assurez-vous qu'il ne présente pas de nombreuses piqûres.

✔ Désinfectez la piqûre, après avoir retiré le dard avec une pince à épiler s'il s'agit d'une piqûre d'abeille.

✔ S'il s'agit d'une piqûre de méduse, rincez sans frotter la zone douloureuse à l'eau savonneuse froide.

✔ Appliquez sur la piqûre une compresse froide ou de la glace dans un gant.

✔ Si l'état de l'enfant ne semble pas grave mais qu'il se plaint de la douleur, donnez-lui du paracétamol.

Comprendre

Le printemps et surtout l'été, les piqûres sont légion. Les plus fréquentes sont évidemment les piqûres d'hyménoptères, c'est-à-dire de guêpes, d'abeilles et de frelons, ainsi que celles de moustiques et de taons.

Au bord de la mer, il ne faut pas pour autant oublier un autre type de piqûres, celles des méduses, particulièrement douloureuses.

Réagir

■ Les piqûres d'insectes

• Calmez l'enfant et assurez-vous qu'il ne présente pas de nombreuses piqûres.

• S'il s'agit d'une piqûre d'abeille, enlevez le dard, s'il est visible, à l'aide d'une pince à épiler nettoyée à l'alcool (les guêpes et les frelons ne perdent pas leur aiguillon). Veillez bien à ne pas casser le dard en le retirant.

- Désinfectez la piqûre.
- Appliquez dessus une compresse froide ou de la glace dans un gant.
- Si l'état de l'enfant ne semble pas grave mais qu'il se plaint d'avoir mal, donnez-lui du paracétamol pour apaiser la douleur.

Sachez par ailleurs que pour les piqûres de moustiques, un coton imbibé de vinaigre permet de faire dégonfler rapidement la zone irritée.

■ Les piqûres de méduses

Courantes l'été, les piqûres de méduses entraînent des lésions urticantes très douloureuses.

- Rincez **SANS FROTTER** la zone douloureuse à l'eau savonneuse froide.
- Appliquez dessus de la glace.
- Donnez du paracétamol à l'enfant pour réduire la douleur.

Quand s'inquiéter ?

Si l'enfant se sent mal, présente des piqûres multiples ou a été piqué à l'intérieur de la bouche, il y a **URGENCE**. Il peut en résulter un malaise, accompagné d'une chute de la pression artérielle et d'une perte de connaissance (choc anaphylactique ou phénomène provoqué par la libération massive d'histamine dans le sang).

On peut aussi observer un œdème très volumineux qui s'étend rapidement. S'il concerne la face et gagne le larynx, il s'agit du fameux « œdème de Quincke » que l'on traitera d'abord avec des corticoïdes et, en cas d'échec, par des injections d'adrénaline et une intubation (pour éviter l'asphyxie).

Dans tous les cas :

• Appelez le Samu-15 en urgence.

• Appliquez la procédure décrite dans le chapitre consacré au *choc anaphylactique* (page 93).

L'essentiel tout de suite...

En cas de plaie ou d'écorchure, procédez comme suit :

Pour une écorchure superficielle...

✔ Lavez la plaie à l'eau, puis avec de l'eau savonneuse simple ou à l'aide d'un savon antiseptique dilué (Septivon®, Solubacter®). Séchez la plaie avec une compresse propre.

✔ Désinfectez avec un antiseptique non alcoolisé.

✔ Vérifiez que la plaie est propre et ne contient aucun corps étranger.

✔ Appliquez un produit asséchant, type Eosine aqueuse®, à l'aide d'une compresse.

Pour une plaie située sur un membre ou une articulation...

✔ Nettoyez et protégez la blessure.

✔ Rendez-vous avec l'enfant aux urgences de l'hôpital le plus proche.

Pour une plaie du visage...

✔ Désinfectez et protégez la plaie.

✔ Emmenez systématiquement l'enfant aux urgences (la blessure peut nécessiter la pose de points de suture, de Stéristrips® ou de colle chirurgicale).

Pour une plaie oculaire...

S'il s'agit d'une projection chimique :

✔ Maintenez l'œil de l'enfant paupières écartées et rincez-le avec un filet d'eau continu pendant une quinzaine de minutes au moins.

✔ Appliquez sur l'œil une compresse de gaze ou de tissu, et fixez-la, sans comprimer, à l'aide d'un bandage.

✔ Conduisez l'enfant en urgence chez un ophtalmologiste, ou appelez les secours (Samu-15 ou pompiers-18).

En cas d'égratignure, coupure ou incrustation d'objet dans l'œil :

✔ Ne tentez pas d'enlever l'objet incrusté dans l'œil.

✔ Rincez, **SANS FROTTER**, avec du sérum physiologique.

✔ Couvrez l'œil de compresses stériles, sans comprimer.

✔ Consultez un ophtalmologiste en urgence ou appelez les secours (Samu-15 ou pompiers-18).

Pour une plaie du cuir chevelu...

Les plaies consécutives à un choc ou à une chute sur la tête doivent toujours faire l'objet d'une consultation médicale (reportez-vous à la page 97).

Comprendre

Plaies et écorchures n'ont, la plupart du temps, aucune conséquence, mais le risque infectieux existe, en particulier de tétanos.

En principe, tous les enfants sont vaccinés, mais si le vôtre ne l'est pas, signalez-le au médecin sans perdre de temps. N'oubliez pas les dates de rappel !

Réagir

■ Les écorchures superficielles

• Commencez par calmer l'enfant. Expliquez-lui que les produits que vous allez utiliser pour nettoyer la plaie ne « piquent » pas.

• Lavez la plaie, d'abord à l'eau, puis avec de l'eau savonneuse simple ou à l'aide d'un savon antiseptique dilué (Septivon®, Solubacter®).

- Séchez la plaie avec une compresse propre.

- Désinfectez-la avec un antiseptique non alcoolisé (reportez-vous au chapitre sur l'*armoire à pharmacie*, page 72).

- Vérifiez que la plaie est propre et ne contient aucun corps étranger (terre, écharde ou autre).

- Appliquez un produit asséchant, type Eosine aqueuse®, à l'aide d'une compresse.

- Si la plaie est étendue, posez une compresse sèche fixée sur les bords par des morceaux de sparadrap. Les pansements prêts à l'emploi feront l'affaire pour les petites plaies.

Soins à donner pendant les jours qui suivront :

- Nettoyez la plaie pendant quarante-huit heures, remettez de l'Eosine aqueuse® et protégez la blessure.

- Lorsque les croûtes sont sèches, empêchez l'enfant de se gratter et laissez la plaie à l'air libre.

Les plaies des membres et des articulations

Souvent profondes, ces plaies nécessitent toujours un examen médical et un traitement adapté. Les plaies des tendons, quand elles ne sont pas traitées ou quand elles sont mal suivies, peuvent laisser des séquelles.

Que faire ?

> - Nettoyez et protégez la blessure.
> - Rendez-vous avec l'enfant aux urgences de l'hôpital le plus proche.

Les plaies du visage

- Désinfectez et protégez la plaie.

- Emmenez systématiquement l'enfant aux urgences (la blessure peut nécessiter la pose de points de suture, de Stéristrips® ou de colle chirurgicale).

A NOTER

Ne serrez pas trop le pansement !

Si votre pansement fait le tour du bras ou de la jambe, ne le serrez surtout pas trop, afin ne pas entraver la circulation sanguine. De façon générale, évitez de réaliser ce type de pansements.

PLAIES ET ÉCORCHURES

Le traitement doit toujours être administré rapidement après l'accident, pour éviter les infections. Passé un certain délai, il est trop tard pour ces traitements. De surcroît, la cicatrisation spontanée de la blessure peut laisser une cicatrice très disgracieuse.

■ Les plaies oculaires

Les plaies oculaires se manifestent par une rougeur brutale, un larmoiement, une douleur, un œdème et l'impossibilité d'ouvrir l'œil.

Que faire ?

Si la plaie est due à une projection chimique :

- Maintenez l'œil de l'enfant paupières écartées et rincez-le avec un filet d'eau continu (pendant quinze à vingt minutes).

- Appliquez sur l'œil une compresse de gaze ou de tissu, et fixez-la, sans comprimer, à l'aide d'un bandage. Si possible, faites de même avec l'autre œil (afin d'éviter la mobilisation de l'œil blessé, par suite des mouvements de l'œil resté valide).

- Conduisez au plus vite l'enfant chez un ophtalmologiste ou appelez les secours (Samu-15 ou pompiers-18). Il s'agit d'une urgence !

En cas d'égratignure, coupure ou incrustation d'objet dans l'œil :

- Surtout, **NE TENTEZ PAS D'ENLEVER** l'objet incrusté dans l'œil.

- Rincez, **SANS FROTTER**, avec du sérum physiologique.

- Couvrez l'œil de compresses stériles, sans comprimer (si possible, faites de même pour l'autre œil).

- Consultez un ophtalmologiste en urgence ou appelez les secours (Samu-15 ou pompiers-18).

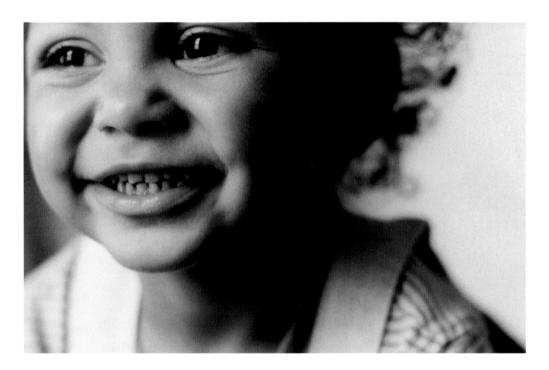

■ Les plaies du cuir chevelu

Le cuir chevelu contient de nombreux vaisseaux sanguins et saigne donc énormément, même en cas de petite plaie superficielle.

• Nettoyez bien la blessure, puis couvrez-la de compresses. Sachez que la pose de sutures est parfois nécessaire.

Les plaies consécutives à un choc ou à une chute sur la tête doivent toujours faire l'objet d'une consultation médicale (reportez-vous à la page 97).

L'essentiel tout de suite...

En cas de saignement sans gravité, procédez comme suit :

Pour un saignement du nez...

✔ Placez la tête de l'enfant en avant et appuyez avec le doigt sur la narine qui saigne.

✔ Si nécessaire, réalisez ensuite un tampon bien dense avec de la gaze ou une compresse. Introduisez-le dans la narine, en le laissant dépasser du nez.

✔ Laissez-le, si possible, pendant deux ou trois heures, puis retirez-le doucement.

Pour un saignement des gencives, de la langue ou des lèvres...

✔ Tamponnez avec une compresse ou un gant propre la zone qui saigne.

✔ Examinez la plaie. Si la lèvre ou la langue est fendue, une suture peut être nécessaire. Rendez-vous aux urgences de l'hôpital le plus proche.

✔ S'il s'agit d'une dent cassée, emmenez l'enfant chez un dentiste.

Pour un saignement de l'oreille...

✔ Consultez toujours un médecin.

Comprendre

Les petits saignements ne sont pas exceptionnels chez l'enfant. Saignements du nez, des gencives ou de la bouche, spontanés ou consécutifs à un choc, ils doivent faire l'objet de soins locaux.

Si, dans la plupart des cas, les saignements ne nécessitent pas de recourir à un médecin, les saignements de l'oreille impliquent toujours de prendre un avis médical.

SAIGNEMENTS

Réagir

■ Saignements du nez (ou épistaxis)

A la suite d'un choc, mais aussi sans cause évidente, les enfants peuvent présenter des saignements du nez. Quand le saignement est accidentel, ou s'il se produit seulement de temps à autre, les soins locaux suffisent.

En revanche, si ces accidents surviennent régulièrement, prévoyez d'avoir dans votre armoire à pharmacie une pommade ou des gazes imprégnées d'hémostatique (produit qui coagule le sang), comme du Coalgan® par exemple.

Enfin, en cas de saignements fréquents, répétitifs, la consultation d'un ORL s'impose, afin d'en trouver la cause. Il s'agit le plus souvent d'une fragilité d'une petite zone dans la partie interne de la narine. Elle se traite par cautérisation.

Que faire ?

- Placez la tête de l'enfant en avant et non en arrière et appuyez avec le doigt sur la narine qui saigne.
- Si le saignement persiste, à défaut de Coalgan®, roulez de la gaze ou une compresse pour réaliser un tampon bien dense, épais mais pas trop long. Introduisez-le dans la narine, en le laissant bien dépasser du nez (afin de le ressortir aisément).
- Laissez-le, si possible, pendant deux ou trois heures, puis retirez-le doucement.

ATTENTION ! Ne donnez jamais d'aspirine. Elle fluidifie le sang et aggraverait l'hémorragie.

■ Saignements des gencives, de la langue ou des lèvres

Ils peuvent être consécutifs à une chute, à une morsure, à des gerçures de la lèvre ou être liés à une gingivite (gencive irritée).

Les saignements des gencives sont souvent sans gravité, mais il faut toujours s'assurer qu'aucune dent ne s'est cassée ou ne s'est enfoncée dans la gencive. Les dents cassées peuvent être avalées. Par ailleurs, les parties restant dans la bouche sont souvent pointues et peuvent entraîner des blessures. Emmenez l'enfant voir son dentiste.

Que faire ?

- Tamponnez avec une compresse ou un gant propre la zone qui saigne.
- Examinez la plaie. Si la lèvre ou la langue est fendue, une suture peut être nécessaire. Appuyez sur la blessure avec une compresse et rendez-vous aux urgences de l'hôpital le plus proche.

▇ Saignements de l'oreille

La cause d'un saignement de l'oreille est presque toujours traumatique (introduction d'un objet dans l'oreille ou choc crânien violent avec fracture).

Que faire ?

- Dans tous les cas, consultez immédiatement un médecin.

NUMÉROS D'URGENCE

■ En Europe

Un numéro d'urgence unique : le 112.

■ En France

Pompiers : 18.
SAMU : 15.
Police et gendarmerie : 17.
Centre antipoison : voir page 132.

■ En Belgique

Pompiers : 100.
Police et gendarmerie : 101.
Centre antipoison : 070 245 245.

■ En Suisse

Pompiers : 118.
Police : 117.
Secours routier : 140.
Secours médicaux : 144.
Centre antipoison : 01 251 51 51.

■ Au Luxembourg

Secours médicaux : 112.
Police et gendarmerie : 113.

■ Au Canada

Numéro d'urgence unique : 911.

« *L'Enfant cassé* », Catherine Bonnet. Ed. Albin Michel.

« *Les Enfants du secret* », Catherine Bonnet.
Ed. Odile Jacob.

« *La Mort subite du nourrisson* », Pr Michel Dehan
(avec R. Gilly). Ed. Doin.

« *Je l'aime, je sais le protéger* », Dr Jean Lavaud,
avec le Comité national de l'Enfance. Ce livre a reçu
le Caducée d'Or au 3ème Festival international du film
et du livre médical de Paris en 1987.

« *Les Accidents domestiques* », Dr Jean Lavaud.
Ed. Maloine, 1985.

« *La Sécurité de vos enfants* », Dr Jean Lavaud.
Ed. Hachette, 1987.

« *Les Accidents du quotidien* », Dr Jean Lavaud.
Ed. Adeic. Fen, 1992.

« *Allô Docteur* », Dr Jean Lavaud. Ed. Copyright –
France Loisirs, 1995.

« *Le Larousse des parents – Vous et votre enfant* »,
Dr Jean Lavaud. Ed. Larousse, 2002.

« *Les Traumatismes graves* », Pr Pierre Carli, Laurent
Beydon et Bruno Riou. Ed. Arnette, 2001.

« *L'Arrêt circulatoire* », Pr Pierre Carli et Pierre-Yves
Gueugniaud. Ed. Masson, 1998.

« *Les Soins infirmiers en situation d'urgence* »,
Pr Pierre Carli et Michel Besnier. Ed. Lamarre, 1999.

INDEX

Direction artistique : Karim Ghernaya
Mise en page et illustrations : Marie Araujo
Relecture et révision : Jean Simon

Et un grand merci pour leur aide particulièrement efficace à…

Marie-Estelle Chevallier
Isabelle Lompech
Josette Pradalier
Paulette Zurawski

Imprimé en France
Dépôt légal : Juin 2002